ullstein

Das Buch

Berlin, Prenzlauer Berg: Markus ist hauptberuflich Vater. Während er seinem Sohn Daniel die Windeln wechselt, macht seine Freundin Simone Karriere. Aber auch das Leben als »Superpapa« hat es in sich: Der kleine Sonnenschein zeigt jedem stolz seine Popel, beleidigt unverfroren einen Tagesschausprecher und lässt auch sonst keine Gelegenheit aus, Markus' Puls auf 180 zu jagen. Und was empfindet ein Mann wohl, wenn er sich plötzlich am Steuer eines familienfreundlichen japanischen Kompaktvans wiederfindet oder mit dem Kleinen stundenlang Ballett-Aufzeichnungen ansehen muss? Die Abenteuer von Vater und Sohn gipfeln schließlich im ersten Berliner Bobby-Car-Rennen für Väter – und einer der lustigsten Sportreportagen, die es je zu lesen gab.

»Dieses tolle Buch wirft Fragen auf: a) ob ich mir nicht doch noch Kinder anschaffen soll, b) ob ich dann auch so saumäßig komisch darüber schreiben kann? Wir werden es nicht erleben, also viel Spaß mit diesem Buch!«
Jürgen von der Lippe

Der Autor

Matthias Sachau, geboren 1969, lebt seit siebzehn Jahren in Berlin, wo er als Schriftsteller, freier Texter und Journalist arbeitet. Er gilt als erster Erwachsener, der sich auf einem Bobby-Car die Veteranenstraße in Berlin hinuntergestürzt hat, und schreibt derzeit an seinem zweiten Comedy-Roman.

Matthias Sachau

SCHIEF GEWICKELT

Roman

Ullstein

Besuchen Sie uns im Internet:
www.ullstein-taschenbuch.de

Umwelthinweis:
Dieses Buch wurde auf chlor- und säurefreiem Papier gedruckt.

Ungekürzte Ausgabe im Ullstein Taschenbuch
1. Auflage Januar 2009
3. Auflage 2009

Umschlaggestaltung: Sabine Wimmer, Berlin
Titelabbildung: © Getty Images/Steve Bronstein (Vorderseite),
Hanna Sachau (Rückseite)
Daumenkino: © Hanna Sachau
Satz: Pinkuin Satz und Datentechnik, Berlin
Gesetzt aus der Candida
Druck und Bindearbeiten: CPI – Ebner & Spiegel, Ulm
Printed in Germany
ISBN 978-3-548-26984-9

1 Ronaldinho

»Mein Penis ist schon wieder steif.«

Das war es. Genau das musste jetzt gesagt werden. Ich bin erledigt. Natürlich gibt es Situationen, in denen dieser Satz angebracht ist. Penis klingt zwar ein wenig technisch und unromantisch, aber über solche Unvollkommenheiten lässt sich, wenn es drauf ankommt, auch mal hinwegsehen. Einen guten Namen für das männliche Glied zu finden ist ohnehin eine Lebensaufgabe, an der die meisten Paare scheitern.

Das ist aber hier nicht das Problem. Das Problem ist, ich sitze, während diese Worte noch in der Luft nachklingen, mit einer gutgekleideten siebzigjährigen Dame, einer zehn Meter gegen den Wind nach Feministin riechenden Erzieherin und einem solariumgegerbten Prollpärchen, das garantiert jeden Morgen als Erstes die *Bild*-Zeitung nach den neuesten Sexualstraftäter-Schauergeschichten durchsucht, um sie sich gegenseitig beim Frühstück vorzulesen, in einem kuscheligen Zugabteil.

Dass nicht ich diesen Satz gesagt habe, sondern Daniel, mein zweieinhalbjähriges Monster von Sohn, das gerade auf meinem Schoß aufgewacht ist, macht meine Lage nicht besser. Im Gegenteil. Ich weiß, was die Leute denken. Mögen sie auch noch so sehr lächeln oder so tun, als hätten sie nichts gehört, insgeheim sind sie überzeugt, dass ich, Markus Heisenkamp, ein Kinderschänder übelster Sorte bin. Und ich weiß, dass diese

Aktion ein weiterer kleiner Schritt hin zu Daniels erstem großen Lebensziel ist: mich fertigzumachen.

Dabei wollte ich ihm das Wort »Penis« gar nicht beibringen. »Wutz« wäre für den Anfang völlig in Ordnung gewesen. Aber Simone bestand auf »Penis«. Von Anfang an so wenig Kinderkauderwelsch wie möglich. Hat sie in ihrem VHS-Kurs über moderne Erziehung gelernt. Nur dass der Penis »steif« ist und nicht »erigiert«, da konnte ich mich gerade noch durchsetzen. Aber auch nur, weil sie fand, dass »erigiert« zu schwierig auszusprechen und »steif« zum Glück ganz normale Erwachsenensprache ist.

Wie wichtig das Penis-Thema schon bald werden würde, konnten wir natürlich beide nicht ahnen. Hätten wir gewusst, dass Daniel uns ein paar Monate später mindestens zwanzigmal am Tag über den Steifheitsgrad seines besten Stücks unterrichten würde – ich schwöre, ich hätte Simone dazu gebracht, ihm ein anderes Wort beizubringen. Aber das ließ sich nun ebenso wenig rückgängig machen wie unser Telekom-Aktienkauf.

Und jetzt habe ich, wie gesagt, ein Riesenproblem. Dabei hätte die Zugfahrt so nett werden können. Die alte Dame ist gleich nach dem Einsteigen wie Wachs unter Daniels Blicken geschmolzen. Man konnte ihre Gedanken lesen. »Warum habe ich nur all diese unnützen Schminksachen, Kalender und Kreditkarten in der Handtasche? Warum gehe ich ohne Bonbons und Stofftiere aus dem Haus? Wie stehe ich jetzt da?« Um ihr Versagen auszubügeln, streichelte sie ihm die Haare, pikste ihren Zeigefinger sanft in seinen Bauch und war überglücklich, als er sich bereit erklärte, auf ihrem Schoß zu sitzen.

Die abgebrühte feministische Erzieherin war da schon ein anderes Kaliber. Sie war froh, dass die alte

Dame den Job übernommen hatte, Daniel zu bespaßen, und vergrub sich in ihrem Rätselheft. Aber Daniel gibt niemals auf, wenn es darum geht, Frauen zu schmelzen. Und er hat bis jetzt noch jede geschafft. Meist reicht ein Augenaufschlag. Und wenn es das nicht tut, sucht er geduldig den Schwachpunkt, und sobald er ihn gefunden hat, schlägt er zu wie Vitali Klitschko.

Der Schwachpunkt der Erzieherin war, dass sie beim Grübeln über schwierige Fragen immer von ihrem Rätselheft hochsah und an ihrem Stift kaute. Daniel schoss dann jedes Mal einen Blick ab, der einen Güterzug aus dem Gleis geworfen hätte, um sich dann sofort wieder tief im Arm der alten Dame zu vergraben. Drei Anläufe reichten und sie gab auf.

»Na, du hast vielleicht schöne braune Kulleraugen.«

Und so ein Satz aus dem Mund einer altgedienten Erzieherin, das bedeutet nicht weniger als »Ich durchschaue zwar deine Tricks, aber egal – nimm mich! Jetzt!« Überhaupt, eine Frau, die den ersten Schritt macht – manche Männer träumen ihr ganzes Leben lang davon.

Beim Prollpärchen, das später zustieg, hatte Daniel wieder leichtes Spiel gehabt. Die beiden trugen nämlich den Satz »Wir wollen bald ein Kind« quasi in roter Blinkschrift auf der Stirn spazieren (und ich hatte sofort den Impuls, dem Prolljungen in nur für Männer sichtbarer Schrift »Weißt du auch, was du da sagst?« zurückzublinken, aber das nur am Rande).

Daniel war also Herr des Abteils. Nachdem er das sicher nicht ganz billige Reisekostüm der alten Dame vollgekrümelt, das Rätselheft der Erzieherin in seine Einzelteile zerlegt und das Prollmädchen dazu gebracht hatte, an ihm schon mal das Pipiwindelwechseln zu üben, war Zeit für ein Schläfchen. Dafür wählte er meinen Schoß.

Der Lodenfrey-Mantel der alten Dame wurde zur Zudecke und die in ein Sweatshirt vom Prollmädchen eingewickelte Handtasche der Erzieherin zum Kopfkissen. Alle betrachteten es als große Gnade, zu seinem Mittagsschlaf beitragen zu dürfen. Die Augen leuchteten und keiner machte mehr einen Mucks.

Nur um keine Missverständnisse aufkommen zu lassen – ich will mich auf keinen Fall über Leute, die sich von Daniel rumkriegen lassen, lustig machen. Ich gehöre nämlich selber dazu. Es reicht, wenn er einfach nur schläft. Ich gestehe, ich schleiche mich jeden Abend, wenn eigentlich Zeit wäre, sich zu erholen und der geliebten Partnerin zu widmen, mindestens dreimal an sein Bettchen, studiere minutenlang seine drolligen Schlafstellungen und lausche seinen Atemzügen, als wären sie Beethovens Siebte. Wenn man in diesen Augenblicken mein Gesicht fotografieren würde, könnte man das Bild für eine Anti-Scientology-Aufklärungsbroschüre verwenden. Bildunterschrift: »Gehirnwäscheopfer.«

Dass mir wegen meiner unfreiwilligen Rolle als Daniel-Reisebett nach einer halben Stunde beide Beine und ein Arm einschliefen, fand ich nicht weiter schlimm. Ich versuchte ein wenig in meiner Zeitung zu lesen, blieb aber schließlich doch immer wieder mit den Blicken an seinem süßen Schlafgesicht hängen und versank darüber in tiefe Meditation.

Nach knapp zwei Stunden gab Daniel die ersten Anzeichen des Aufwachens von sich. Die Abteilbesatzung verfolgte das Schauspiel so gebannt wie Ehrengäste einen Spaceshuttle-Start auf Cape Canaveral. Jeder noch so kleine Grunzer wurde mit ehrfürchtigem Raunen bedacht, und dem Prollmädchen schossen vor Rührung glatt die Tränen in die Augen. Was er wohl als Erstes sagen würde? Durst? Hunger? Wo ist Mama?

Aber nein: »Mein Penis ist schon wieder steif.« So ist er, mein Sohn.

Er genießt natürlich weiter die volle Zuwendung. Nur ich bin unten durch. Penispapa. Kinderschänder. Zum Glück ist es nur noch eine halbe Stunde bis Berlin. Ich fühle, wie sich die erste Hälfte der Erholung, die mir die Woche bei Daniels Großeltern gebracht hat, in Luft auflöst.

Das ist übrigens auch schon wieder so was. Ich sage Daniels Großeltern. Dabei sind es doch *meine Eltern*. Ausgerechnet ich, der früher die meisten Eltern-Kind-Szenen, die sich vor meinen Augen abspielten (wir wohnen in Prenzlauer Berg), mit verächtlichen »Ts, ts, ts, ihr stellt doch eure Blagen viel zu sehr in den Mittelpunkt«-Blicken bedacht hat, nenne meine Eltern Daniels Großeltern. Erschreckend.

Aber ich habe schon lange keine Kraft mehr, mich selbst mit verächtlichen Blicken zu strafen. Überhaupt, die Großeltern. Wichtigste Stützpfeiler aller jungen Eltern. Von wegen. Simone und ich mussten ja unbedingt zum Studieren nach Berlin. War auch gut so. Sonst hätten wir uns nicht kennengelernt und so weiter. Aber jetzt? Stehen unsere wichtigsten Stützpfeiler im Allgäu und in Ostwestfalen. Und damit nicht genug. Unsere Stützpfeiler sind allesamt im Ruhestand. Oberflächlich betrachtet könnte man meinen, wunderbar, jetzt können sie sich ja auf ihre eigentliche Aufgabe konzentrieren und stützen, stützen und nochmals stützen. Zweitwohnung in Berlin, Bahncard de luxe und so weiter, aber weit gefehlt.

Um das Problem kurz in drei Kernpunkten zusammenzufassen: Es gibt viel zu viele Freizeitangebote für Senioren, die Renten sind viel zu hoch und die Werbung schürt in unverantwortlicher Weise ihren Erlebnishunger. Großeltern sein allein reicht ihnen nicht mehr.

Da wird mit der Harley durch Süditalien gefahren, ein Tai-Chi-Kurs auf Malta gebucht und kein Kirchentag mehr ausgelassen. Wenn du da mal eine Woche Kinderbetreuung rausschinden willst, tust du gut daran, dich ein Jahr vorher anzumelden. Was ist denn jetzt schon wieder los?

»Kacka.«

Natürlich. Nein, jetzt geht nichts mehr. Wir sind in sechs Minuten am Hauptbahnhof. Machen wir, wenn wir draußen sind. (Außerdem stehen dann die Chancen gut, dass Simone es macht.)

»Kacka!«

Daniel heult. Man riecht die Bescherung nicht nur, man sieht sie auch. Sie suppt durch die Hose. Von wegen Kacka. Das ist Dünnpfiff vom Feinsten. Garantiert Omas Kartoffelsalat. Hier ist Penispapas große Chance, sich zu rehabilitieren.

Gib ihn her, Prollmädchen. Das ist zu hart für dich. Das ist ein Job für Superpapa. Ich taumele durch den schlingernden Zug. Daniel in einem Arm, die Ausrüstung im anderen und immer gut aufgepasst, dass ich nicht auf mein rotes Superpapa-Cape trete. Der Dünnschiss suppt durch meinen Ärmel. Es stinkt wie die Hölle. Ich trete in bestem Van-Damme-Stil die Tür zum kombinierten Behindertentoiletten-Wickelraum auf. Noch fünf Minuten bis Berlin. Tisch runtergeklappt, Tuch ausgebreitet, Daniel draufgelegt.

»Papa! Mich festhalten! Zug fällt um!«

Nur die Ruhe.

Mein Gott, was ist denn das?

Ich versuche nicht mehr zu atmen und stecke die vollgeschissene Windel in eine Tüte. Mist. Der Beutel mit den Feuchttüchern ist runtergefallen. Der Wickeltisch ist angenehm hoch angebracht. Das einzig Dumme an dieser Höhe ist, dass ich so nicht den Feuchttücherbeutel aufheben kann, ohne Daniel loszulassen. Daniel mit dem kackverschmierten Hintern wieder auf den Arm nehmen? No way!

Jetzt zahlt es sich aus, ein Mann zu sein. Ich kicke mir den Beutel mit der linken Hacke auf die rechte Fußspitze und lupfe ihn an. Zweimal in der Luft nachgetreten und der Beutel landet in hohem Bogen in meiner rechten Hand. Hätte Ronaldinho nicht besser hinbekommen, aber in solchen Momenten guckt natürlich niemand.

Noch vier Minuten, Superpapa. Vier Minuten, um einen komplett vollgeschissenen Zweieinhalbjährigen sauberzumachen, ihm neue Klamotten anzuziehen, die Wickelsachen zusammenzupacken, die Hände zu waschen, zurück ins Abteil zu gehen, den Rucksack aus dem Gepäckfach zu holen und das Hemd zu wechseln? Geht nicht. Zielkonflikte ohne Ende. Ich brauche einen guten Kompromiss. Warum klingelt jetzt mein Handy? Und warum um alles in der Welt gehe ich auch noch dran?

Ich glaube, das ist so ein typisches Hausmann-und-Vater-Ding. Minderwertigkeitskomplexe, weil man nicht wie andere Männer im Beruf glänzt. Da gibts einfach nichts Besseres als einen Handyanruf in einer stressigen Situation. Kann man mal beweisen, dass man auch ein Managertyp ist. Simone ist dran.

»Ich glaube, ich kann euren Zug schon sehen.«

»Äh … Schatz, ich …«

»Hast du etwa noch nicht zusammengepackt?«

»Doch, doch, sicher.«

»Dann bin ich ja beruhigt. Was ich dir nur kurz sagen wollte, bloß damit du keinen Schreck kriegst …«

»Was Schlimmes?«

»Nein, nein. Ich habe nur ein neues Auto gekauft.«

»Du hast was?«

»Ein neues Auto gekauft. Bis gleich, Kuss!«

Sie hat ein neues Auto gekauft.

Einfach so.

Ich bin in Trance. In Trance tue ich das einzig Vernünftige. Daniel die verkackten Sachen ausziehen, in die Tüte stecken, mein verkacktes Hemd ausziehen, auch in die Tüte stecken, die schlimmsten braunen Stellen an Daniels und meinem Körper abwischen und mit nackter Brust und nacktem Kind zurück ins Abteil stürzen.

Die Bremsen quietschen. Wir fallen, so wie wir sind, der alten Dame auf den Schoß. Nein, nichts passiert. Sie lächelt Daniel an, um mir gleich darauf einen Blick aus Stein zuzuwerfen. Der Prolljunge hebt unseren Rucksack aus dem Gepäckfach. Diesmal steht auf seiner Stirn: »Ich tue es für Daniel, nicht für dich. Möge die *Bild*-Zeitung bald über alle deine Schandtaten berichten. Mit Foto ohne Balken vor den Augen.« Wir stürzen an einem kopfschüttelnden Zugbegleiter vorbei auf den Bahnsteig.

Da steht Simone. Im Gegensatz zu uns sieht sie perfekt aus. Ihre langen braunen Haare wippen in der warmen Luft, die von irgendwoher hereinweht. Nicht so spektakulär wie im Wella-Werbespot, aber fast noch schöner. Ihr sommerliches Businesskostüm sieht angenehm unstreng aus, weil sie ein weißes T-Shirt darunter trägt und dazu Ledersandalen, die man fast nicht sieht. Von weitem könnte man sogar denken, dass sie barfuß läuft.

Sie sieht uns, schreit auf, lässt die rote Rose fallen und reißt mir Daniel aus dem Arm.

*

Um jetzt mal keine Missverständnisse aufkommen zu lassen: Das war alles nicht so geplant. Ich wollte nie einer von diesen schlabberhosigen Ersatzmama-Vätern werden. Wenn alles mit rechten Dingen zugegangen wäre, wäre ich heute immer noch festangestellter Grafiker in meiner alten Internet-Agentur, säße Tag für Tag vor zwei schönen großen Bildschirmen, würde gemütlich Pixel hin und her schubsen und mich mindestens fünfmal am Tag mit den Kollegen an der Gaggia-Espressomaschine in der Küche treffen, wo wir uns gegenseitig unsere neuen T-Shirts vorführen. Vielleicht wäre ich auch schon zum Creative Director aufgestiegen. Oder ich hätte sogar meine eigene Internet-Start-up-Idee endlich in die Tat umgesetzt und stünde kurz vor dem Börsengang.

Und Simone? Würde, genau wie sie es sich gewünscht hatte, ihre Babypause machen. Sie hatte nämlich, im Gegensatz zu mir, von ihrem Job bei der NBW-Group die Nase gestrichen voll. Hätte ich an ihrer Stelle auch gehabt. Da rackerst du dich jahrelang ab, aber dein vergreister Abteilungsleiter gibt dir zu verstehen, dass er dich niemals an deinem unfähigen Chef vorbeilassen wird, weil er findet, dass für Frauen im internationalen Business ab einer gewissen Stufe Schluss ist – nö, muss man nicht haben.

Die moderne TV-Drama-Lösung wäre jetzt natürlich gewesen, dass Simone die Firma wechselt, woanders aufsteigt, als Top-Managerin zurückkehrt und den Abteilungsleiter in Rente schickt, aber das Leben ist nicht immer Alice Schwarzer. Simone reagierte stattdessen erst mal ganz klassisch mit einer gewissen Lässigkeit bei der Pilleneinnahme.

Auf die unvermeidliche Frage, ob Daniel ein Wunschkind sei, können wir deswegen nie ohne Verrenkungen antworten. Wunschkind wäre übertrieben – und

irgendwie auch zu langweilig. Aber das berühmte, sprachlich nie genau fixierte Gegenteil von Wunschkind (Unwunschkind, Nicht-aufgepasst-Kind, Ups-Kind?) trifft es dann auch wieder nicht. Und wenn ich, um es kurz zu machen, sage, dass Daniel ein »unbewusstes Wunschkind« ist, kriegen wir regelmäßig den Vogel gezeigt.

Nun ja. Jedenfalls hat sich, während Simone schwanger war, die Welt um uns herum dramatisch verändert. An den Börsen platzte die Internetblase, und meine Agentur löste sich nach langem, tapferem Überlebenskampf in Luft auf. Parallel dazu begann sofort nach Simones Weggang die Einkaufsabteilung ihres Saftladens wie ein führerloses Schiff im Sturm herumzuschaukeln. Das NBW-Management brauchte ein geschlagenes Jahr, um zu erkennen, dass es da einen bestimmten Zusammenhang gab. Dann reagierten die Herren aber umso energischer, schickten den Abteilungsleiter selbst in Rente und boten unglaublicherweise Simone an, den Posten zu übernehmen, sobald sie mit Daniel aus dem Gröbsten raus wäre.

Na ja, und so wurde unser Leben auf einmal dermaßen Alice Schwarzer, dass es Schwarzer eigentlich kaum noch geht – vor allem, wenn die jüngste Entwicklung ist, dass Simone jetzt auch noch unser neues Auto alleine aussucht.

Auto und Kind. Das war eine Herausforderung, der ich mich eigentlich noch in aller Ruhe stellen wollte. Es gibt genügend Männer, die dieses Problem sogar für komplett unlösbar halten, aber ich wollte es zumindest probieren. Als hübsches, junges, kinderloses Paar ein Auto zu kaufen wäre auch einfach zu leicht gewesen. Wir hätten uns per eBay den schönsten Volvo 1800 ausgesucht, der in Deutschland zu haben ist. Ob es der

1967er oder der 1971er sein sollte, hätte ich bestimmt, und ob rot, beige oder dunkelgrün Simone. Dann hätte ich meine Internetfirma gegründet, und sagen wir mal fünf Jahre später hätten wir uns allmählich nach einem Lamborghini Miura umgeschaut. Das ist keine echte Herausforderung.

Mit Kind ist aber alles ganz anders. Ich frage mal so: Haben Sie schon mal einen Volvo 1800 mit einem Kindersitz auf der Rückbank gesehen? Nein? Seien sie froh. Ich habe mal einen gesehen. Was soll ich sagen? Normalerweise träume ich gut. Und wenn ich schlecht träume, ist es auch nicht immer so, dass ich gleich schreiend aufwache. Nur ganz selten, einmal im Jahr vielleicht, habe ich einen richtigen Alptraum. Dann werde ich von riesigen Monstern nach allen Regeln der Kunst in Stücke gerissen, mein alter Chef Becker durchsucht meinen Computer und klaut meine Idee, Duisburg steigt ab, und Angela Merkel ist das neue Bond-Girl.

Und am Ende fährt dann ganz langsam ein Volvo 1800 mit Kindersitz auf der Rückbank an mir vorbei. Es gibt definitiv nichts Schlimmeres.

Also, was passt zum Kindersitz und macht trotzdem keine Kopfschmerzen? Gibt es ein schönes aktuelles Fließheck? Muss man sich mit dem Gedanken an einen Kombi anfreunden? Wie gesagt, einige halten das Dilemma für aussichtslos, aber ich war aber immer fest davon überzeugt, dass ich eine gute Lösung finden würde. Dass unser zweitüriger Golf wegmusste, war klar. Und es war, zugegebenermaßen, schon klar, seit Daniel auf der Welt ist. Aber ich fand unter den neuen Umständen einfach nie die nötige Ruhe, um mich in ein Auto zu verlieben.

Nun ja, und jetzt bin ich soeben auf dem Bahnhofsparkplatz mit einem japanischen Kompaktvan zwangs-

verheiratet worden. Ich sitze am Steuer, kutschiere meine Kleinfamilie vom Hauptbahnhof zum Prenzlauer Berg und versuche mich mit der Situation zu arrangieren. Simone ist froh, dass wir wieder da sind. Aber ein paar Dinge muss sie trotzdem noch loswerden.

»Ich verstehe immer noch nicht, wieso du nicht einfach bis Gesundbrunnen durchgefahren bist, wenn die Situation so dramatisch war.«

»Aber dann hättest du doch umsonst am Hauptbahnhof auf uns gewartet.«

»Na, wenn schon. Dafür hätte Daniel wenigstens beim Aussteigen Klamotten am Leib gehabt. Hättest du mir eben kurz per Handy Bescheid gesagt und die Sache wäre geritzt gewesen.«

Wäre sie natürlich nicht. Hätten wir Simone am Hauptbahnhof versetzt, hätte es im Ergebnis etwa genauso viel Schimpfe gegeben wie für unseren etwas verunglückten Ausstieg von eben. Das ist mir aber im Moment egal. Ich fühle mich gut. Und das, obwohl ich am Steuer eines japanischen Kompaktvans sitze. Schlimmer noch, ich fühle mich gut, *weil* ich am Steuer eines japanischen Kompaktvans sitze. Schwer zu erklären. Hat mit meinem Zivildienst zu tun. War eine gute Zeit. Erste Großstadt, erste eigene Wohnung, die Kolleginnen aus der Krankenschwesternschule und so weiter. Eines der größten Highlights: Der Kleinbus, mit dem ich immer dienstags und donnerstags die Schlaganfallpatienten zur Therapie bringen musste. Hatte ich schon fast vergessen. Dieses Gefühl, hoch über den ganzen 911ern und SLKs zu sitzen. Da hatte selbst das Im-Stau-Stehen noch etwas Majestätisches. *War was? Ach so, ja, schönes Auto hast du, echt. Aber ein bisschen klein, nicht wahr?*

Und genauso fühlt es sich jetzt mit diesem japanischen

Kompaktvan wieder an. Und das Beste: Simone hat nur fünftausend Euro für diesen Hochsitz auf Rädern hingelegt. Gelegenheitskauf von Freunden, die in die USA umgesiedelt sind. Da kann man nicht meckern.

Wirklich unglaublich, wie angenehm sich diese Schüssel fährt. Ich versuche das Lenkrad so wenig wie möglich anzufassen, nur für den Fall, dass ich noch irgendwelche Kackreste an meinen Händen habe. Die nächste scharfe Kurve nehme ich mit 50. Dafür kriege ich natürlich wieder geschimpft. Aber ich sage: »Hey, ich glaube, unser alter Golf wäre bei dieser Aktion glatt umgekippt«, was Simone wieder versöhnt, denn damit habe ich ja schließlich ihren Autokauf gelobt.

Später, kurz vor dem Einschlafen, beschließe ich, eine Liste für mich zu machen: Zehn Gründe, warum es, trotz allem, doch nicht so schlimm ist, ein Kind zu haben. Punkt eins hätte ich jetzt: Weil es ein perfekter Grund ist, einen Kompaktvan zu fahren.

Ein zweiter Grund fällt mir auch gleich ein: Weil das Kind irgendwann in den Kindergarten gehen wird. Genau. Es rückt immer näher. Ich werde wieder Zeit haben. Ich werde wieder Bücher lesen und wieder Musik machen. Und ich werde doch noch meine Internetfirma gründen. Und in ein paar Jahren brauche ich nur noch mit den Fingern zu schnippsen, und sofort kümmern sich drei gutaussehende, erstklassig ausgebildete Kindermädchen um Daniel, während ich mit Simone im Lamborghini Miura in aller Ruhe in den Abendhimmel aufsteige und zur nächsten Strandbar fliege. Vrumm!

»Hast du was gesagt, Schatz?«

»Ich? Nö.«

»Na, dann schlaf gut. Du wirst es nötig haben, nach der langen Fahrt.«

»Hm, ja, schlaf du auch gut.«

»Werd ich. Das war vielleicht eine Woche, sag ich dir. Vilsmeier hat Angst, dass wir geschluckt werden, und geht jetzt auf Expansionskurs.«

»Und was hast du damit zu tun? Du bist doch Einkauf.«

»Genau. Und deswegen häng ich mittendrin. Wir wollen nämlich Firmen kaufen, von denen wir bisher eingekauft haben. Insourcing nennt man das. Noch mehr Teile des Gesamtproduktionsprozesses abdecken, verstehst du?«

»Äh, ja.«

»Na, ist auch völlig egal. Das Wochenende hab ich mir jedenfalls mit eiserner Faust freigeboxt. Ich freu mich schon so drauf, endlich wieder mit euch zusammen zu sein.«

Simone kuschelt sich an meinen Arm.

»So, mein tapferer Intercitypapa, jetzt aber erst mal Augen zu und durchgeratzt.«

»Hm, du Simone, was ich noch sagen wollte …«

»Ja?«

»Ist es okay für dich, wenn wir bei Daniel doch Wutz statt Penis sagen?«

»Och, Markus, das Thema hatten wir doch schon durch. Warum ist denn das auf einmal wieder so wichtig?«

»Keine Ahnung, einfach so.«

2 Die Blauen

Es gibt Dinge, die man am besten zu zweit machen sollte: Badminton spielen, Sofas schleppen, Hochgebirgsklettern, einem wütenden Kickboxer gegenübertreten und so weiter. Und es gibt viele Dinge, die man zwar auch allein machen kann, die aber zu zweit einfach mehr Spaß machen: Strandurlaub, Kino, Essen, Sex und all das. Und andererseits gibt es wiederum Dinge, die mehr Spaß machen, wenn man sie alleine macht: Klavier spielen, Agatha-Christie-Krimis lesen, vor sich hin brüten und so was. Und es gibt eine Sache, die sollte man wirklich niemals zu zweit machen, weil das deine Laune noch schneller in unendliche Tiefen zieht als ein ausgewachsener Orcawal einen altersschwachen Sportangler: zu zweit mit einem Kleinkind auf den Spielplatz gehen.

Aber genau das tun wir jetzt. Mal wieder. Wir tun es jeden Samstag, wenn nicht der Himmel ein Einsehen hat und gnädig einen Wolkenbruch über dem Spielplatz am Helmholtzplatz heruntergehen lässt. Es ist ja schließlich endlich Wochenende. Und wir sind ja schließlich eine Familie, und wir haben uns ja ein paar Tage nicht gesehen.

Daniel spielt mit Simone im Sand. Für alles andere ist er noch zu klein, und selbst beim Sandspielen braucht er noch Hilfe – findet zumindest er. Ich langweile mich, strecke mich auf der Bank aus und greife zur Zeitung. Daniel wartet genüsslich ab, bis ich den Sportteil her-

ausgefischt und kunstvoll so zurechtgefaltet habe, dass ich den Artikel »Duisburg im Aufwind« lesen kann, und dann schlägt er zu.

»Papa soll auch Sandkuchen backen!«

Nun gut. Wir sind ja schließlich eine Familie. Weg mit dem Sportteil. Ich lasse mich mit knackenden Gelenken in den Sand sinken.

»Nein! Du darfst nicht die Schaufel haben. Nur die Mama.«

Und wer hat dir das Sandkuchenbacken beigebracht? Undankbares Biest.

»Na, dann geh ich eben wieder.«

»Nein, du sollst Kuchen backen.«

»Kann ich doch nicht, wenn ich die Schaufel nicht haben darf.«

»Du sollst aber Kuchen backen.«

Unglaublich. Da habe ich in meiner Jugend kühn den Wehrdienst verweigert, weil ich mich nicht mit schikanösen Befehlen herumschlagen wollte, und jetzt das. Warum sitze ich nicht einfach zu Hause auf dem Balkon und genieße die Stille? Ich könnte dem Sportteil in aller Ruhe die ihm gebührenden zwanzig Minuten zukommen lassen und dann mit morgendlich frischem Kopf weiter am Konzept für meine Internetfirma feilen. Zu gegebener Zeit würde ich mich in die Küche trollen und die beiden, wenn sie sandbekrümelt und hungrig nach Hause kommen, mit einer Fischstäbchen-Festtafel empfangen. Aber wir sind ja schließlich eine Familie. Wir müssen uns ja auch mal zusammen zeigen.

Daniel denkt sich seinen Teil dazu: Wenn schon beide Eltern da sind, dann sollen gefälligst auch beide rackern. Also, Sandkuchen backen. Aber zackig. Wäre noch ein Rest von Würde in mir, würde ich mir einen Gehörschutz aufsetzen und mich wieder auf die Bank fläzen. Aber da ist nichts mehr. Ich schaufle mit den Händen Sand in das Förmchen und backe Sandkuchen. Einen nach dem anderen. Daniel dreht mir den Rücken zu, aber ich weiß, dass er auch hinten Augen hat. Sobald ich die Produktion einstelle, wird er sich umdrehen und mich mit Vorwürfen überziehen.

Respect yourself! Daadaadaadadadada! Respect yourself! Kommt die Musik aus meinem Kleinhirn? Nein, die Leute von der Wohnzimmerbar gegenüber haben ihre Boxen auf den Bürgersteig gestellt und überziehen die Gegend freundlich mit handverlesenen Soul-Klassikern. Das bringt mich auf eine Idee.

»Simone, soll ich uns mal zwei Pappkaffee holen?«

Sie dreht sich um. Was? Wer spricht da mit mir? Ach, der Markus. Im Eifer des Gefechts schon ganz vergessen.

»O ja, gute Idee.«

Vorsichtig, ganz vorsichtig richte ich mich auf. Papa-Sandkasten-Hexenschuss ist ein Klassiker in den umliegenden Krankenhäusern.

»Nein, der Papa soll noch mehr Kuchen backen!«

»Nein, Daniel. Schau, der Papa hat schon so viele Kuchen gebacken …«

Ich entferne mich langsam. Erst einmal alle Glieder gestreckt und das Gesicht in die Sonne gehalten. Ich bin glücklich wie ein geschundener Lehrling, der, absoluter Höhepunkt des Tages, dem Chef Zigaretten vom Laden nebenan holen darf. Die Außensitzplätze der Wohnzimmerbar sind inzwischen alle besetzt. Ich schaue in eine Wand aus Sonnenbrillen. Ja, ich weiß. Ihr wart gestern Nacht alle auf wundervollen Partys und müsst euch erholen. Kann ich verstehen. Hab ich in meinem früheren Leben auch manchmal gemacht.

»Zweimal Coffee-to-go, bitte.«

Und lass dir bitte viel Zeit. Ich sinke auf einen Barhocker und warte, bis sich meine Augen an das Schummerlicht gewöhnt haben. Das Lied hat gewechselt. *Papa don't take no mess! Papa don't take no mess!*

»Hier, bitte schön. Macht fünf Euro.«

Ich ziehe etwas von dem Geld heraus, das Simone verdient hat. Oder sind es noch Reste von meinen Ersparnissen? Weiß ich nie genau. Fließt ja alles zusammen. Ich rühre den Zucker rein und nehme die Pappbecher am obersten Ende, um mich nicht zu verbrennen.

»Tschühüss.«

»Tschühüss. Ach, und könntest du dir nächstes Mal bitte den Sand abklopfen, bevor du reinkommst?«

Okay, die Sandhaufen, die ich unter dem Barhocker hinterlassen habe, sind wirklich nicht von schlechten Eltern, aber muss man das gleich so durch das ganze Lokal brüllen? Der rassistische Subtext war ja wohl nicht zu überhören: Wir wollen hier keine Helmholtzplatz-Papa-Weicheier mit Kakaoflecken auf der Jacke. Finden wir ekelhaft. Komm erst wieder, wenn du nach Dancefloor-Schweiß und Zigaretten stinkst. *Papa don't take no mess! Papa don't, Papa don't, Papa don't, Papa don't!*

Wieder auf dem Spielplatz angekommen, sehe ich, dass Daniel meine gesamte Kuchenproduktion dem Erdboden gleichgemacht hat. Simone sieht mich mitleidsvoll an. Hallo? Als ob mir irgendwas an meinen sandigen Missgeburten liegen würde. Von mir aus kann Daniel Hula-Hula darauf tanzen. Ich bin einfach nur glücklich, wenn ich keine Zwangsarbeit mehr machen muss und meinen Kaffee trinken kann.

Zwangsarbeit habe ich nämlich lange genug gemacht. Die Jahre als festangestellter Internet-Kreativsklave waren, Espressomaschine hin oder her, kein Zuckerschlecken. Mein Chef Becker war eine Ausgeburt der Hölle.

Ein großmäuliger Schaumschläger. Keinen Deut besser als ich. Hat nur einfach ein Jahr früher angefangen.

Offiziell gab es natürlich keine Hierarchie. Wir waren ja schließlich eine Internetagentur. Neuer Markt, neues Leben, wir sind eine Familie und so weiter. Haha. Hängt mir einen Sandsack mit Beckergesicht ins Wohnzimmer, und ich habe nach zwei Jahren einen Profivertrag im Mittelgewicht. Vor allem, wenn ich dran denke, dass es dieses Stehaufschwein auch noch geschafft hat, sich, gleich nachdem unsere Agentur gegen die Wand gefahren ist, bei einer klassischen Werbeagentur mit festem Kundenstamm und allem Drum und Dran einzuschleimen.

Aber trotz allem hatte es auch sein Gutes mit Becker. Der Hass hat mich zu Höchstleistungen angestachelt. Ohne ihn wäre ich nie auf meine Start-up-Idee gekommen, die uns bald reich machen wird. Und eins ist schon mal klar: Ich werde Becker mit einem Riesengehalt als Creative Director zu mir locken. Im Lauf der Zeit werde ich ihn schön langsam degradieren, immer weiter, Schritt für Schritt, und dann am Ende, kurz vor unserem Börsengang, ganz rausschmeißen. So in etwa: Tut mir persönlich sehr leid, aber wir gehen jetzt an die Börse. Wir müssen unsere Qualität auf allen Ebenen steigern. Bin ich den Aktionären schuldig. Kann ich keine Rücksicht nehmen. Verstehst du, oder? Ich hab dir schließlich genug Chancen gegeben …

»Ich auch was trinken!«

Was? Ach so. War ja klar. Kaum hat Daniel unsere Kaffeebecher gesehen, will er auch was. Ich habe schon lange herausgefunden, dass seine gesamte Nahrungsaufnahme ausschließlich neidgesteuert abläuft. Nach meinen Beobachtungen könnte er drei Tage ohne Essen und Trinken aushalten, wenn nur kein anderer in

seiner Nähe etwas isst oder trinkt. Aber kein Problem. Was Unterwegsversorgung betrifft, bin ich Großmeister. Ich habe mir gleich zu Beginn meiner Papakarriere in einem Anglergeschäft eine große Tasche mit vielen, vielen Fächern gekauft. In diesen Fächern herrscht eine komplexe, fein abgestimmte Ordnung. Striktes Zonenprinzip: Sandzone, Fäkalzone, Reinzone, Papas-Sachen-Zone und Nahrungsmittelzone. Diese Tasche ist meine schärfste Waffe im Kampf um ein halbwegs entspanntes Unterwegs-Papatum. Simone darf sich ihr nicht mehr als einen Meter nähern. Manchmal habe ich das Gefühl, es reicht schon, wenn sie die Tasche nur ansieht, um meine Ordnung zu zerstören.

Ich öffne den Verschluss und finde blind die Saftflasche. Weil die meisten anderen Kinder auch neidgesteuert funktionieren und meine Papatasche eine wohlbekannte Größe auf dem Helmholtzplatz ist, steht im Nu eine Traube putziger kleiner Bälger um mich herum und sieht mich mit großen Kulleraugen an. Jetzt könnte ich der große Wohltäter sein, Apfelstückchen und Kekse in die kleinen, sandigen Hände drücken und mich an dankbar strahlenden Blicken laben. Aber Daniel duldet das nicht. Mein Papa, meine Tasche, mein Essen. Haut ab. Und ihr, die ihr schon was gekriegt habt, schaut ihn bloß nicht so dankbar an. Sonst bildet sich der Lange womöglich noch was ein, und meine ganze Erziehung ist im Arsch.

Simone redet auf Daniel ein und versucht ihn davon zu überzeugen, dass es gut ist, zu teilen. Zeitverschwendung. Sie könnte ebenso gut versuchen, Bill Gates davon zu überzeugen, den Windows-Code freizugeben.

Daniel nimmt jetzt das große Kletterschiff in Angriff. Eigentlich ist daran nichts verkehrt, abgesehen von der Tatsache, dass er noch zu klein dafür ist und man ständig wie ein Derwisch um das Gerüst herumtanzen muss, um auf ihn aufzupassen. Aber das ist schon mal drei Stufen besser als die öde Sandkuchenzwangsarbeit. Außerdem mag ich es, wenn mein Sohn Anwandlungen des gepflegten Draufgängertums zeigt. Aber auch hier ist heute wieder das Problem: Wir sind zu zweit.

»Pass auf, der fällt gleich da hinten runter.«

»Seh ich doch. Bin ja schon da.«

»Ach so, konnt ich von hier nicht sehen.«

»Jetzt kommt er wieder auf deine Seite.«

»Ich seh ihn nicht.«

»Ich auch nicht mehr.«

»Dann tu doch was, Markus!«

»Was denn?«

»Steig rauf!!!«

»Nur die Ruhe.«

»Du weißt doch, dass dahinten das gefährliche Loch ist.«

»Steig du doch rauf.«

»Auf meiner Seite ist aber keine Leiter.«

Hoffentlich sitzt hier nicht irgendwo ein Journalist rum. Sonst setzt es morgen garantiert die hundertfünfundzwanzigste Glosse zum Thema überengagierte Eltern vom Prenzlauer Berg. Diese Schmierfinken. Haben einfach kein Feingefühl. Würden sie mal etwas hinter die Dinge blicken, würden sie vielleicht schreiben, dass Leute wie Simone und ich früher zwei Planeten waren, die ruhig ihre Bahnen um ihre Sonne namens Glück zogen und sich genüsslich von allen Seiten bescheinen ließen. Ja, genau. Und dass diese zwei Planeten dann bereitwillig einen neuen kleinen Planeten in ihr Sonnensystem aufgenommen haben und dass der natürlich alles erst mal mächtig ins Trudeln gebracht hat, weil neue Kräfteverhältnisse und so weiter. Und das dauert

dann eben seine Zeit, bis alle drei wieder auf perfekten Kreisbahnen fliegen, ohne rumzueiern. So in etwa. Aber nein, die Herren Glossenschreiber wollen sich ja immer nur über die oberflächlichen Symptome beömmeln.

Ich mache einmal mehr den schweren Fehler und zwänge mich durch den nicht erwachsenengerechten Aufstieg auf das Kletterschiff.

Kawumm!

Den blöden Pfosten übersehe ich jedes Mal. Zum Glück wieder nur eine Beule und keine Platzwunde, wie vor vier Wochen. Daniel sitzt lachend in der Ecke und denkt gar nicht daran, in das gefährliche Loch zu fallen.

*

Zwei Stunden verlorene Lebenszeit später machen wir uns endlich auf den Heimweg. Ich wünsche mir von Herzen, dass einer der Helmholtzplatz-Alkis uns anpöbelt. In meiner augenblicklichen Verfassung wäre eine heftige körperliche Auseinandersetzung bestimmt sehr gesund. Aber die Alkis können meine Laune anscheinend riechen. Kein böses Wort, kein Hund, der vor uns auf den Weg scheißt, nicht mal ein Rülpser. Feige Schweine.

Zu Hause quälen wir uns durch den klassischen Samstag-Mittagessen-Einakter. Niemand beherrscht ihn so souverän wie wir. Jedes Wort sitzt wie bei *Dinner for One*.

Simone (mit überdeutlichem Ich-bin-eine-schlechte-Mutter-Gesichtsausdruck): »Jetzt habe ich mir wieder nichts für das Mittagessen überlegt.«

Ich: »Lass mal, ich mach uns Fischstäbchen.«

Simone: »Aber wir können Daniel doch nicht jeden Tag Fischstäbchen geben.«

Ich: »Wieso nicht? Er liebt Fischstäbchen.«

Daniel: »Fischstäbchen!«

Simone: »Das ist kein vernünftiges Essen.«

Anders als bei *Dinner for One* gibt es an dieser Stelle zwei Möglichkeiten für die weitere Entwicklung der Handlung. Welche Variante wir spielen, hängt von Simones Energiereserven ab. Sind sie nicht mehr allzu groß, spielen wir die erste Handlungsvariante: Es gibt Fischstäbchen für alle, Daniel isst wie ein Scheunendrescher, Simone vergisst nach und nach, dass sie eine schlechte Mutter ist, wir betten Daniel zum Mittagsschlaf, warten, bis er weggeschlummert ist, und haben Sex.

Heute hat Simone leider doch noch Energie. Also zweite Handlungsvariante: Simone verschwindet für eine halbe Stunde bei Kaisers. Mein Magen beginnt in die Tiefe zu sacken, und Daniel zieht an meinem Hosenbein und fragt nach Fischstäbchen. Simone kommt wieder und verschwindet für eine weitere halbe Stunde in der Küche. Mein Magen ist inzwischen im untersten Keller angekommen. Das hat zumindest den Vorteil, dass Daniel die Knurrgeräusche lustig findet und darüber vergisst, weiter zu nerven. Simone ruft zum Essen. Daniel würdigt die Leckereien auf seinem Teller keines Blickes und Simone ist bald den Tränen nahe. Um das Schlimmste abzuwenden, greife ich in die Trickkiste. Ich pikse mir einen Happen von Daniels Teller auf.

»Ich ess jetzt dein Essen.«

»Nein!«

Ich halte die Gabel vor meinen aufgerissenen Mund und tue so, als ob ich den aufgespießten Brocken gleich verschlingen würde.

»Neiiin! Du darfst nicht mein Essen haben!«

Daniel schnappt energisch zu, als ich ihm die Gabel vor seinen Mund halte. Zehn Gabeln später ist die komplette Portion in seinen Magen gewandert. Neid schlägt Essensrenitenz. Eine taktische Meisterleistung. Danke, Superpapa.

Aber nein. Simone guckt drein, als stünde das Jüngste Gericht bevor, und zieht sich mit Kopfschmerzen zurück. Ende des Stücks. Luftholen.

Mütter. Wie haben sie es schwer. Was haben sie nicht alles durchgemacht. Weiß jeder. Irgendein für uns nicht sichtbares Kinderparlament hat deswegen schon vor langer Zeit einstimmig beschlossen, es den Müttern wenigstens in einem Punkt leichtzumachen: Die praktischen mütterfreundlichen Fischstäbchen wurden per Dekret zum allgemeinen Kleinkind-Lieblingsmittagessen erklärt, sofortige Aufhebung der Renitenzpflicht, stattdessen Begeisterungs-, Verschling- und Mehrwoll-Gebot. Das sollte Entlastung bringen. Einfache Zubereitung, keine aufwendige Logistik, keine Grübelei über Essenspläne. Und die Mütter? Wollen das Geschenk nicht annehmen, wollen leiden, wollen verzweifeln.

Ich bringe Daniel ins Bett. Ein Kuss und noch ein Lied gesungen. Das reicht. Sein Kopf steckt zwar zu drei Vierteln in einer riesigen Stoffkatze, aber wenn man genau hinhört, erlauscht man das selige Schnurcheln. Jetzt eine Stunde Stille. Zeit für mich.

Ich bin pflichtbewusst. Ich lasse sowohl die Wochenendzeitung als auch die nicht aufgeräumte Küche links liegen und klappe meinen Laptop auf. Je früher ich mein Start-up in bis dato unbekannte Gewinnzonen steuere, umso besser für uns alle. Konzentration. Also, das Konzept steht so weit. Ich muss jetzt die ultimative Powerpoint-Präsentation zusammenschrauben, die auch den dümmsten, schwerfälligsten, glatzköpfigsten

Venture-Capital-Manager dermaßen die Dollarzeichen in die Augen treibt, dass er keine blöden Fragen mehr stellt und den Geldkoffer aus dem Auto holt. Ich hasse Powerpoint. Jeder, der früher mal anspruchsvolle Screendesigns für große Marken entworfen hat, hasst Powerpoint. Es ist schlicht unter meiner Würde, mit diesem Bürohengst-Primitivprogramm zu arbeiten. Immerhin waren meine Entwürfe früher so gut, dass sie selbst noch überzeugt haben, nachdem Becker sie mit seinen Spinnenfingern angefasst hatte. »Feinschliff«, hat er immer gesagt. Blöde Sandsackfresse. Aber ruhig Blut. Becker hat vor zwei Wochen auch einen Sohn bekommen. Im Moment brauche ich den Sandsack gar nicht unbedingt. Es reicht, wenn ich mir vorstelle, wie Beckers Nächte gerade feingeschliffen werden.

So, jetzt nicht abschweifen. Die Zeit ist knapp. In einer Stunde muss das Ding stehen. Das ist der Stoff, aus dem Legenden sind, für die ganzen Talkshows und so:

»Herr Heisenkamp …«

»Sagen Sie ruhig Markus zu mir. Machen alle.«

»Sehr gerne. Also, Markus, wann hatten Sie eigentlich die phänomenale Idee, die dem TecDAX sein erfolgreichstes Unternehmen eingebracht und Sie zum reichsten Mann Europas gemacht hat?«

»Das war irgendwann im Sommer 2007. Da war ich noch, Sie werden es nicht glauben, hauptberuflich Papa, haha. Mein Sohn hat gerade Mittagsschlaf gemacht, mir war langweilig, da hatte ich die Idee, und weil ich gerade eh nichts Besseres zu tun hatte, hab ich das Ganze mal schnell in meinen Laptop gehackt. Hat nicht länger als eine Stunde gedauert. Dass alles so groß werden könnte, hab ich mir natürlich nicht träumen lassen. Aber wissen Sie, es ist nicht nur die Idee. Hinter meinem Erfolg steht auch die Arbeit hunderter hochmotivierter Mitarbeiter,

denen ich an dieser Stelle sehr herzlich danken möchte, und ...«

Danken. Genau. Vierzig Jahre später. Talkshow-Auftritt Daniel:

»Danken möchte ich vor allem meinem Vater, ohne den ich niemals Popstar, Champions-League-Sieger und Bundeskanzler geworden wäre. Er musste viel ertragen. Ich habe ihm Schlaf und Nerven geraubt und ihn immer wieder in aller Öffentlichkeit bloßgestellt. Mit den Sportteilen, die er meinetwegen nicht gelesen hat, könnte man den kompletten Rasen des Berliner Olympiastadions abdecken. Nur wegen mir konnte er erst drei Jahre später als geplant mit dem Aufbau seiner heute weltberühmten Firma beginnen. Und das war noch lange nicht alles. Ich habe durch mein Zur-Welt-Kommen den Hormonhaushalt seiner attraktiven Frau so nachhaltig durcheinandergebracht, dass die sexuelle Aktivität meines Vaters schlagartig um neunzig Prozent in den Keller sank, wo sie für viele Jahre blieb. Und er musste auch noch mit ansehen, wie ich ihre Brüste kleingetrunken habe. Kann ein Mann ein größeres Opfer bringen?«

Ja, genau. So etwas sollte endlich mal gesagt werden. Ist doch wahr. Simone oben ohne am Strand von La Gomera, das war früher wirklich nichts für schwache Nerven. Gut, objektiv betrachtet hat sich vielleicht nicht sooo viel verändert, aber ihr Busen ist kleiner geworden, Punkt. Auch wenn es außer mir keiner merkt. Und ein kleiner gewordener Busen ist für Männer nun mal genauso wie für einen Ami der Entzug der heimischen Klimaanlage. *Once you have it, you can't live without it.* Daniel, du mit deinem gnadenlosen Saugmund. Elender Kunstschänder ... O nein, er ist aufgewacht. Ich höre ihn kommen. Nicht jetzt, bitte. Bin gerade nicht gut auf dich zu sprechen, und meine Powerpoint ...

»Papa?«

»Hmgrmpf.«

»Mein Kuss ist alle.«

»Hm?«

»Kannst du mir noch einen geben?«

Die Worte tröpfeln sich langsam ihren Weg durch mein Hirn. Ich schmeiße den Laptop samt nicht gespeicherter Datei in die Ecke, breite die Arme aus, drücke meine Lippen tief in seine zarten Wangen und finde mein Leben wieder ganz in Ordnung.

*

Inzwischen prasselt der Regenguss herunter, den ich mir für heute Vormittag gewünscht hätte. In solchen Situationen gibt es viele Möglichkeiten, sich die Zeit mit Daniel um die Ohren zu schlagen. Man kann ihm Kinderbücher vorlesen und sich die Finger zwischen den dicken Pappseiten einquetschen lassen, wenn er aus heiterem Himmel beschließt, umzublättern. Oder man kann sich von ihm verdonnern lassen, Bauklotztürme zu bauen, und zusehen, wie er sie umwirft. Oder man kann zusammen mit ihm auf seinem Kinderherd kleine Mahlzeiten aus Murmeln, trockenen Nudeln und Luftschlangen zubereiten, die er anschließend auf den Boden kippt und nach allen Regeln der Kunst im Raum verteilt – der Fantasie sind keine Grenzen gesetzt. Die bei weitem angenehmste Option ist aber, den Fernseher anzumachen und eine Ballett-DVD einzulegen.

Ja, Ballett.

Simone hat als Mädchen Ballett getanzt. So kam es, dass irgendwo ein uralter *Schwanensee*-Videomitschnitt in unserer Sammlung vor sich hinstaubte, bis Daniel ihn eines Nachmittags herausgewühlt hat. Ich

hatte zu diesem Zeitpunkt schon ein Bier getrunken und deswegen den Schalk im Nacken sitzen. Ich schob die Kassette ein und sagte: »Schau mal, die tanzen Ballett.« Daniel schaute. Eine halbe Stunde. Eine Stunde. Anderthalb Stunden. Er bewegte sich nicht vom Fleck. Simone kam nach Hause, war gerührt, und wir ließen ihn weiterschauen, während wir zu Abend aßen. Als nach zweieinhalb Stunden der letzte Vorhang gefallen war, kam Daniel in die Küche.

»Nochmal den Ballett schauen.«

Ab diesem Tag musste die alte *Schwanensee*-Kassette jeden Abend ran. Mindestens einmal die ganze Aufführung. Und ich musste immer meinen Körper als Ohrensessel für Daniel zur Verfügung stellen.

Einmal der ganze *Schwanensee*. Das ist verdammt lang. Anfangs habe ich mit meinem Schicksal gehadert. Mal hier und da eine Sesamstraße und dann, zu gegebener Zeit, die von mir behutsam gesteuerte Einführung in die Welt des Fußballs, so hatte ich mir eigentlich den Beginn der Fernsehkonsumentenkarriere meines Sohns vorgestellt. Aber ich fand mich schnell mit meinem Schicksal ab. Vor allem der vierte Schwan von links in der zweiten Reihe hatte es mir angetan. Dem Kameramann offensichtlich auch, denn die Tänzerin wurde oft in Nahaufnahme gezeigt. Den wünschenswerten anschließenden Hintergrundbericht aus den Umkleideräumen der Pariser Oper gab es zwar nicht, aber den hätte mich Daniel vermutlich sowieso nicht sehen lassen.

Nachdem wir drei Monate mit *Schwanensee* verbracht hatten, beschlossen Simone und ich, dass es Zeit für eine Erweiterung unseres Studienfelds war. Simone brachte den *Nussknacker* und das *Dornröschen* mit. Daniel und ich stürzten uns drauf. Er war froh, neue Tänze zu sehen, und ich fand weitere Lieblingstänzerinnen.

Kurz und gut, ich habe meine Wege gefunden, mich mit Ballett anzufreunden. Hin und wieder eine kleine Frotzelei von besonders humorbegabten Freunden, so von wegen *Eiteitei, dein Sohn ist schwul*, aber damit kann man leben.

Heute ist der *Nussknacker* dran. Einmal von vorne bis hinten. Macht einschließlich Vorspann und Verbeugungen genau zwei Stunden und dreiundzwanzig Minuten. Um 15:34 Uhr drücke ich auf die Starttaste. Perfektes Timing. Es wird keine Konflikte mit der Sportschau um 18:10 Uhr geben.

Ich atme durch und feiere still für mich meine persönlichen Höhepunkte ab: Die Schneekönigin im knappen Silberdress, die arabische Schleiertänzerin mit den langen Beinen, die Kleine aus der vordersten Reihe beim Blumenwalzer und, nicht zu vergessen, die brünette Cellistin im Orchestergraben. Brillante Kamera, wirklich.

Irgendwann erschrecke ich dann wieder über mich und meine heimliche Ballett-Spannerei. Manchmal frage ich mich, wann das eigentlich angefangen hat. Ich meine, nicht dass mein bisheriges Leben größtenteils von Sexorgien geprägt gewesen wäre, aber ich wurde von Simone und ihren Vorgängerinnen doch immerhin mit so viel zärtlicher Zuwendung bedacht, dass mir die Hefte ganz oben links im Supermarktregal schon lange keine verstohlenen Blicke mehr abnötigten. Und spätestens nach unserer völlig durchgeknallten Sex-auf-der-Waschmaschine-Phase fühlte ich mich in einem Lebensabschnitt angekommen, in dem auch guter Wein oder ein Blick in eine schöne Landschaft einen Höhepunkt markieren können.

Aber irgendwie habe ich den Verdacht, dass meine neue peinliche Neigung damit zu tun haben könn-

te, dass meine gewohnten Zuwendungsrationen mit Daniels Geburt auf einmal weggebrochen sind. Der kleine Racker schafft es dauernd, die ganze Aufmerksamkeit auf sich zu ziehen, Simone leidet unter ihrer latenten Rabenmutter-Neurose, und ihr schwangerschaftsbedingt schwer gebeutelter Hormonhaushalt tut ein Übriges – da kommst du als Mann eben oft zu kurz, musst viel Verständnis aufbringen und brauchst einen langen Atem. Aber irgendwann fängst du dann halt an, den *Schwanensee*-Schwänen und Schneeköniginnen hinterherzugucken. So weit meine Theorie. Ich muss das weiter beobachten.

17:54 Uhr ist die Sache gelaufen. Fernseher aus, Gliedmaßen gereckt, Daniel in den am weitesten vom Fernseher entfernten Ort der Wohnung gelockt und dort an Simone übergeben. Eine Meeresalgengesichtsmaske, die neue *Gala* und anderthalb Stunden Telefonieren haben ihr inneres Gleichgewicht wiederhergestellt. Eigentlich sollte jetzt nichts mehr schiefgehen.

Männer und Frauen sind doch nicht so verschieden, denke ich, als ich die Sportschau einschalte. Ersetze die *Gala* durch ein gutes Fußballspiel, die Meeresalgengesichtsmaske durch eine Flasche wohltemperiertes Bier und das Telefonieren durch lustvolles Schweigen – fertig. Mein Körper wird eins mit dem Sessel. Die Bundesligasaison ist noch jung. Heute will ich jede Sekunde genießen. Den Vorspann, die als Anmoderation getarnten Werbeblöcke, das Tor der Woche, alles.

Erstes Spiel, Hertha gegen Bremen. Kriegen die Berliner natürlich eins auf die Mütze. Seit Marcelinho weg ist, geht bei denen gar nichts mehr. Nein, Daniel soll kein Herthaner werden. Wir sind zwar Wahlberliner, aber so weit geht die Liebe nicht.

Zweites Spiel, Leverkusen gegen Freiburg. Na gut,

Freiburger kann er meinetwegen werden, wenn er unbedingt will. Kann man nichts gegen sagen. Aber andererseits wäre es doch gelacht, wenn ich keinen Duisburger aus ihm machen kann. Das erste drohende Unheil ist immerhin schon erfolgreich abgewehrt: der gelb-schwarze Dortmund-Strampelanzug, den mein Bruderherz Hubert gleich zur Geburt geschickt hat. Ich wollte ihn verbrennen, aber Simone hat ein Machtwort gesprochen. Strampelanzug ist Strampelanzug, und der wird angezogen. Wir schmeißen doch kein Geld zum Fenster raus, außerdem sei Hubert mein Bruder und so weiter. Drei qualvolle Tage später hat Daniel den Dortmund-Strampelanzug dann nach allen Regeln der Kunst vollgeschissen. Das Bild ging sofort per E-Mail an Hubert, und ich entwickelte die Theorie, dass mein Sohn und ich uns auf einer übersinnlichen Metaebene perfekt verstehen.

So, jetzt Dortmund gegen Kaiserslautern. Komm, Lautern! Schieß dich aus der Krise! Eine deftige Heimpleite für die Gelben, und der Abend wäre schon halb perfekt. Jawoll! Altintop macht ihn rein! 0:1! Ich beginne schon, im Kopf die hämische Mail an Hubert zu formulieren.

Daniel kommt rein.

»Ich will noch mal Ballett gucken.«

Warum das jetzt?

Ach so. Ich höre im Hintergrund, dass Simone wieder am Telefon hängt und meine Sportschau nicht verteidigen kann. Jetzt muss ich kreativ sein. Ich nehme ihn auf den Schoß.

»Guck mal Daniel, das ist Ballett mit Ball.«

Daniel guckt eine halbe Minute.

»Aber die tanzen nicht so gut.«

Okay, ich muss ihn anders kriegen.

»Guck mal, die Gelben sind die Bösen und die Roten

sind die Guten. Die Roten sollen gewinnen. Die sollen den Ball ins Tor schießen. O nein, die Gelben haben den Ball … Hurra, daneben! Kein Tor! Jetzt die Roten.«

Daniel beißt an.

»Die Roten sollen ein Tor schießen!«

Ecke Zandi, Kopfball Altintop.

»O nein, Daniel! Daneben!«

»O nein, daneben! O nein, die Gelben! Die sollen kein Tor schießen, Papa!«

Na also, das wird doch. Leider verliert Lautern am Ende 3:1.

»Haben die Roten nicht gewonnen?«

»Leider nein.«

Auweia, Daniel kämpft mit den Tränen. Nicht doch. Nicht wegen Lautern.

»Macht nichts. Die Roten gewinnen bestimmt nächstes Mal.«

»Bestimmt nächstes Mal.«

Jetzt Wolfsburg gegen Gladbach.

»Wer soll jetzt gewinnen, Papa?«

Mir doch egal. Aber ich muss ihn bei der Stange halten.

»Die Grünen sollen gewinnen.«

»Die Grünen sollen gewinnen. O nein, daneben! O nein, die Weißen …«

Es läuft wie am Schnürchen. Wolfsburg gewinnt. Dann kommt endlich mein Spiel: Duisburg gegen Bayern. Gebt alles! Ihr habt nichts zu verlieren!

»Ohhh, wieder die Roten. Jetzt gewinnen die Roten, Papa.«

»Um Himmels willen! Auf keinen Fall! Jetzt sollen die Blauen gewinnen!«

»Aber ich will, dass die Roten gewinnen. Die Blauen sind böse.«

»Nein, die Blauen sind gut! Die Blauen sind die Besten!«

»Aber die Roten sind auch gut.«

»Die Roten sind nur gut, wenn sie gegen die Gelben spielen. Verstehst du? Die Gelben sind am bösesten. Die Roten sind mittelböse und die Blauen sind die Guten. Ist doch ganz einfach.«

»Und die Grünen sind auch gut?«

»Von mir aus, solange sie nicht gegen die Blauen spielen. Merk dir einfach, die Blauen sollen immer gewinnen und die Gelben sollen nie gewinnen. Der Rest ist egal. Alles klar?«

»Alles klar.«

»Na also.«

»Kann ich jetzt wieder den Ballett gucken?«

*

Abends im Bett beschließe ich, neben der Zehn-Gründe-warum-es-doch-nicht-so-schlimm-ist-ein-Kind-zu-haben-Liste auch eine Mindestens-dreißig-Gründe-warum-es-ziemlich-schlimm-ist-ein-Kind-zu-haben-Liste, anzulegen: Spielplätze, rassistische Barbedienungen, weggebrochene Zuwendung, verkümmertes Sexualleben, Gefahr, dass der falsche Fußballklub ins traute Heim eindringt – wenn ich lange genug nachdächte, könnte ich wahrscheinlich die dreißig Gründe allein aus dem heutigen Tag extrahieren, aber ich schlafe vorher erschöpft ein. Zum Glück weiß ich noch nicht, dass das heute noch gar nichts war, im Vergleich zu dem, was noch kommt.

3 Weichsitz

Der nächste Tag beginnt großartig: Ich wache von alleine auf. Kurz gestutzt, weil das wirklich ungewöhnlich ist, aber nein – es war weder Daniel, der aus irgendeinem Grund brüllt, noch Simone, die mich wachrüttelt, weil Daniel aus irgendeinem Grund brüllt. Nein, ich merke ganz von selbst, dass die letzten Traumfetzen auf einmal weg und das weiche Kopfkissen, die leichten Schmerzen von der Zerrung in der linken Wade und der abgestandene Geschmack in meinem Mund echt sind.

Für mich ist es purer Luxus, morgens Zeit für solche Empfindungen zu haben. Ich strecke mich ein wenig und versuche mir über weitere Einzelheiten meiner Situation klarzuwerden.

Simone?

Nicht da. Vermutlich irgendwann nachts zu Daniel umgezogen, weil er sich gemuckst hat.

Welcher Wochentag? / Muss ich aufstehen?

Sonntag. / Nein.

Will ich aufstehen?

Doppelnein.

Irgendwas Besonderes heute?

Nicht dass ich wüsste ... Oder doch, da war irgendwas ... Mal überlegen ... Ach ja, Gretas Geburtstag. Heute Nachmittag.

Ich mag Greta. Sie ist ruhig und ausgeglichen, ihr Lachen verzaubert mich, und wenn wir genügend Zeit füreinander hätten, hätten wir uns sicher viel zu sagen.

Manchmal denke ich, Greta könnte meine beste Freundin sein. Aber Greta ist gerade mal zwei Jahre alt und eher Daniels beste Freundin.

Nicht dass ich Greta gegen Daniel tauschen würde. Auf keinen Fall. Daniel ist und bleibt der einzige kleine Racker, an dessen Kopf ich dauernd schnuppern muss und dessen Windel ich wechseln kann, ohne vor Ekel ohnmächtig zu werden. Aber immer wenn Daniel mich zur Weißglut treibt, und das tut er durchschnittlich 12,71-mal pro Tag, wünsche ich mir, er hätte ein wenig mehr von Greta.

Ich sehe Greta oft. Wir wohnen Tür an Tür mit ihr und ihren Eltern. Baumer heißen sie. Das Schlafzimmer der Eltern Baumer grenzt an unsere Küche. Wenn ich das, was wir durch die Wand hören, richtig deute, dann ist es um die erotischen Momente im Leben der Baumers derzeit ähnlich schlimm bestellt wie bei uns.

Ich könnte mich mit Gretas Vater anfreunden. Gleiches Alter, gleiche Lebenssituation, gleiche Leiden. Aber Gretas Vater ist ein Volldepp. Nicht dass ich alle Versicherungsmakler grundsätzlich für Volldeppen halte. Nur eine gewisse Teilmenge dieser Spezies tendiert in diese Richtung, und Gretas Vater gehört eben leider dazu. Sein Volldeppentum äußert sich zum Glück nicht darin, dass er versucht, uns Versicherungen aufzuschwatzen. Das ist unter seiner Würde. Wahrscheinlich würde er, selbst wenn ich ihn auf Knien um eine Vollkaskoversicherung anbetteln würde, nur sehr zögerlich darauf eingehen. Was ihn zum Volldeppen macht, sind seine Komplexe. Wenn man nahe genug an ihn herankommt, kann man leise die Rechenmaschine in seinem Kopf rattern hören.

Ich arbeite, Herr Heisenkamp nicht. Ein Punkt für mich. Ich trage Anzüge, Herr Heisenkamp nicht. Noch ein Punkt für mich. Ich fahre einen knapp ein Jahr al-

ten BMW, Herr Heisenkamp einen Uralt-Golf. Noch ein Punkt für mich. Auweia, Herr Heisenkamp hat jetzt einen japanischen Kompaktvan. Autotechnisch ab jetzt nur noch einen halben Punkt für mich. Oder sogar gar keinen mehr?

Die Hirnregion, in der sich bei normalen Menschen feine Nervengespinste ausgebildet haben, die auf das Schließen und Pflegen von Freundschaften spezialisiert sind, wird bei Herrn Baumer von einer unkontrolliert wuchernden Buchhaltungsabteilung okkupiert, die Tag und Nacht daran arbeitet, seine Bilanz auf den neuesten Stand zu bringen. Erst vor ein paar Monaten herrschte große Aufregung in der Abteilung. Hatten wir doch bei einem netten gemeinsamen Kaffeeplausch glatt festgestellt, dass unsere Wohnung laut Mietvertrag vier Quadratmeter größer ist als die der Baumers. Wir 102 Quadratmeter, sie 98 Quadratmeter. Herrn Baumers Hirnrechenmaschine schaltete sofort in den zwölften Gang.

Um Himmels willen. Er hat vier Quadratmeter mehr. Ein Punkt für Herrn Heisenkamp. Außerdem hat er die Hundert-Quadratmeter-Marke geknackt und ich nicht. Noch ein Bonuspunkt für Herrn Heisenkamp.

Das bedeutete Krieg. Herr Baumer fand in den folgenden Wochen tausend Gründe, warum unsere Wohnung schlechter geschnitten ist als seine. Er machte uns unser Nest dermaßen madig, dass wir uns bald selbst dabei ertappten, wie wir mit zweifelnd hochgezogenen Augenbrauen durch unsere Gemächer schritten und an Umzug dachten. Aber das reichte natürlich nicht, um seine Hirnrechenmaschine zu überzeugen. Deshalb ließ er sich als nächsten Schritt eine gläserne Duschkabine ins Bad einbauen. Seitdem geht es ihm ein wenig besser, denn wir haben ja nur eine Plastikduschkabine.

Aber der Stachel sitzt immer noch tief. Das größte Geschenk, das man Herrn Baumer machen könnte, wäre ein getürktes fachmännisches Gutachten, das zu dem Ergebnis kommt, dass unsere Wohnung nur 95 Quadratmeter groß ist, noch dazu wirklich abartig schlecht geschnitten und nicht zuletzt aufgrund der Plastikduschkabine mindestens fünf Punkte Bilanzabwertung für uns bedeutet. Wenn ich ihn nur ein klein wenig mögen würde, würde ich mir tatsächlich überlegen, ob ich ihm so etwas zum Geburtstag schenke. Ich mag ihn aber nicht. Immer wenn ich nah an ihn herankomme, meine ich irgendwie, eine furchterregende, tiefe Stimme aus dem Chefzimmer seiner Hirnbuchhaltungsabteilung zu hören:

Herr Heisenkamp hat einen Sohn und du nur eine Tochter. Hundert Punkte für Herrn Heisenkamp. Das holst du nie wieder auf.

Frau Baumer ist im Gegensatz zu Herrn Baumer sehr nett. Sie plaudert gerne drauflos, ist hilfsbereit wie drei barmherzige Samariter, und ich frage mich jeden Tag, wer es zugelassen hat, dass sie an Herrn Baumer geraten ist. Ich bin froh, dass Frau Baumer nett ist. Wenn sie so wäre wie Herr Baumer, müssten wir Greta aus humanitären Gründen adoptieren. Daniel würde sich dann mit ihr gegen mich verbünden, und mein letztes Stündlein hätte bald geschlagen.

Von fern höre ich Daniel und Simone herumquietschen. Das animiert mich dazu, schließlich doch aufzustehen. Unser Bademantelfrühstück gestaltet sich, abgesehen von der obligatorischen Kakaoüberflutung unseres weißen Ikea-Tischs, recht behaglich. Simone und ich picken noch satt und zufrieden an den letzten Krümeln und versuchen dabei Daniels ohrenbetäubendes Kochtopf-Konzert zu ignorieren, als Annette anruft.

Annette ist die alleinerziehende Mutter von Klara aus

unserem Hinterhaus. Ein klassischer Mama-in-Latzhosen-Typ. Das merkt man daran, dass sie, selbst wenn sie mal keine Latzhose anhat, immer noch aussieht, als hätte sie eine Latzhose an. Auch als Mensch ist Annette ausgesprochen Latzhose: pragmatisch, unkompliziert und absolut unverwüstlich. All die Dinge, die eine alleinerziehende Mutter auch dringend sein muss, wenn sie mit einem Kind wie Klara auch nur eine Woche überleben will. Klara ist nämlich keine Latzhose, sondern die Kampfshorts von Muhammad Ali.

Wenigstens hat Annette zur Unterstützung einen kompletten Satz Großeltern in Berlin am Start, sonst wäre ihre Laune vielleicht doch nicht immer Latzhose, sondern auch mal Kittelschürze oder Zwangsjacke. Das Gute an Klara ist aber, dass sie sich, trotz ihrer zarten vier Jahre und ihres Wildfangtums, immer voll verantwortlich für Daniel und Greta fühlt, wenn sie zusammen spielen. Es gab schon Tage, an denen man ihr eigentlich Babysittergeld hätte zahlen müssen.

Simone und Annette sind seit dem ersten Tag, den wir hier wohnen, gute Freundinnen. Und Annettes Vorschlag, den restlichen Vormittag gemeinsam mit uns auf dem Spielplatz zu verbringen, trifft bei meiner Liebsten jeden Nerv, den man nur treffen kann. Wenn man die ganze Woche unter Hochdruck von Meeting zu Meeting hetzt, gibt es nichts Schöneres, als endlich auch mal Spielplatzmama zu sein und gemütlich mit einer anderen Spielplatzmama am Sandkastenrand zu sitzen und sich gegenseitig mit Kinder-Gossip vollzutexten.

Eigentlich würde ich jetzt, im Gegensatz zu gestern, gerne mitkommen. Daniel würde von Klara in Schach gehalten, und ich könnte mein Gesicht der Sonne entgegenstrecken. Aber man braucht kein Papst des Einfühlungsvermögens zu sein, um zu erkennen, dass ich hier nur das lästige fünfte Rad am Wagen wäre. Ich sehe vom Balkon aus dem fröhlichen Kinderwagen-Duo auf dem Bürgersteig hinterher. Annette mit Latzhose und afrikanischer Mütze, Simone mit Sommerrock, Spaghettiträger-Top und Piratenkopftuch. Hanni und Nanni in Groß.

Eine Stunde Ruhe zu haben ist natürlich auch nicht schlecht. Das Problem ist nur die Tageszeit. Ich gehe in Gedanken ein paar Freunde durch, die ich jetzt gerne mal wieder sehen würde, aber bei jedem Namen erscheint vor meinem geistigen Auge ein wohlig schlummernder Männerkörper zwischen weichen Decken in einem sorgfältig abgedunkelten Zimmer. Nein, am Sonntag um zehn kannst du einfach niemanden anrufen, den du nicht zum Feind haben willst. Ich bräuchte mal einen richtigen Papa-Freund, aber die guten sind schwer zu finden.

Ich kaufe mir eine Sonntagszeitung und studiere den Sportteil. Macht natürlich wenig Spaß nach dem gestrigen 3:1-Desaster gegen die Bayern. Um meine Laune zu heben, lese ich noch ein wenig im Wirtschaftsteil und meditiere zum hundertsten Mal darüber, welches Unternehmen wohl in ein paar Jahren von meiner Internetfirma aus dem TecDAX gekickt wird. Dann ist es auch schon Zeit, die Fischstäbchenproduktion anzuwerfen. Die wichtigste Voraussetzung für einen fröhlichen Kindergeburtstag ohne Catcher-Einlagen und Tränensturzbäche ist nämlich, dass wir Daniel pünktlich und in sattem Zustand zum Mittagsschlaf ins Bett stecken.

*

Eigentlich hat alles gut geklappt. Daniel hat perfekt geschlafen. Simone auch. Sie ist beim Ins-Bett-Bringen spontan neben ihm weggedöst. Ich bin als Einziger wach geblieben, habe tapfer versucht, mich nicht wieder vernachlässigt zu fühlen, meine Enttäuschung in positive Energie umgemünzt und einen Namen für meine Internetfirma gefunden: Feelgoood. Ja, das klingt gut. Feelgoood AG – die Spitze des neuen Internet-Eisbergs.

Aber jetzt machen wir uns erst mal mit dem Aufzug auf den Weg in den fünften Stock. Greta feiert ihren Geburtstag nämlich bei ihrer Tante Hilda. Tante Hilda ist Frau Baumers Schwester. Sie wohnt allein. Ihr Dachgeschosspalast ist so riesig, dass ich gar nicht wissen möchte, was für Zustände sie damit schon in Herrn Baumers Hirnbuchhaltungsabteilung ausgelöst hat. Greta hat außer Daniel noch Klara und den kleinen Emil aus dem Nachbarhaus eingeladen. Die beiden sind schon da, und wie immer, wenn sie sich sehen, stürzen die Kleinen aufeinander los und geben sich Küsschen. Und wie immer, wenn ich das sehe, steigen mir kleine Rührungstränen in die Augen, und ich hoffe, dass das niemand mitbekommt.

Tante Hilda ist eine, nun ja, sehr temperamentvolle Frau ohne eigene Kinder. Und wie die meisten sehr temperamentvollen Frauen ohne eigene Kinder verwandelt sie sich, sobald Kinder in der Nähe sind, in eine Spiel- und Tobegranate erster Güte. Ich beneide Herrn Baumer weder um seinen BMW noch um seine gläserne Duschkabine, aber ich beneide ihn um diese Schwägerin. Dass Kinder jedem, aber auch wirklich jedem beliebigen anderen Menschen besser gehorchen als ihren Eltern, ist nichts Neues. Aber wenn ein Kind Tante Hilda zum ersten Mal sieht, passiert noch etwas ganz anderes. Da baut sich von einem Moment auf den anderen ein Göttin-und-ergebener-Diener-Verhältnis auf, dass du grün vor Neid werden könntest. Sogar bei solchen Kalibern wie Daniel und Klara.

Einen Sonntag wie diesen muss man genießen. Die Kinder fegen um ihre Göttin herum. Frau Baumer und Emils Mutter servieren Schokoladenkuchen und Zitronenwasser, während Simone und Annette auf der Dachterrasse ihren Spielplatzplausch weiterspinnen. Ich habe mich mit einem gefüllten Glas in eines von Tante Hildas riesigen Sofas sinken lassen und genieße es, nichts machen zu müssen.

Herr Baumer sitzt neben mir. Ich würde ihm gerne vorschlagen, einen Wettkampf zu machen, wer von uns sich am wenigsten bewegt, aber ich komme nicht zu Wort. Er erklärt mir schon seit einer halben Stunde, warum Tante Hildas Wohnung schlecht geschnitten ist und warum nicht einmal die beiden Dachterrassen und die Badewanne mit den Massagedüsen all die Nachteile aufwiegen können.

Ich versuche verzweifelt, seinen Worten den direkten Weg zu meinem einen Ohr herein und zum anderen wieder heraus zu zeigen. Aber wenn Herr Baumer textet, ist das nicht so einfach, denn er hat eine Versicherungsmakler-Rhetoriknahkampfausbildung. Da kann man nicht nur dasitzen, mit dem Kopf nicken, von Zeit zu Zeit »ja« oder »hmpf« sagen und gleichzeitig an schöne Inseln mit weißen Stränden denken. Zwischendrin haut er immer diese heimtückischen Fragen rein, auf die man wirklich antworten muss, wenn man nicht unhöflich sein will. Früher habe ich daraufhin tatsächlich jedes Mal ein feingefügtes Statement ersonnen und mit wohlgewählten Worten vorgetragen, um dann festzustellen, dass es Herrn Baumer gar nicht interessierte, sondern dass er mich nur bei der Stange halten wollte. Inzwischen beherrsche ich aber eine Technik, die mich

gut gegen alle Baumer-Gesprächsattacken schützt. Kommt eine Frage, bei der »ja« oder »hmpf« nicht zieht, hole ich hörbar Luft, schaue ins Leere und tue, als ob ich nachdenke. Nach einer kleinen Ewigkeit sage ich dann »schwierig«, sehe ihn kurz an und sinke dann wieder in den feinen Sand der schönen fernen Insel.

»Wie würden Sie es finden, wenn der Eingang zu Ihrer Toilette so nah an Ihrem Wohnbereich liegen würde wie hier?«

»Hmmm …

…

…

…

… schwierig.«

Zitronenwasser ist wirklich etwas Feines. Schmeckt gut und passt für Erwachsene und Kinder. Nur das Trinken ist verzwickt, wenn man so ganz tief in einem Sofa versunken ist. Man weiß, dass man den Kopf eigentlich zu flach abgelegt hat, ist aber zu faul, sich aufzurichten, und versucht deswegen dennoch an seinem Glas zu nippen. Und im nächsten Moment tropft es einem natürlich von den Mundwinkeln auf den Kragen.

Jetzt könnte man natürlich sagen, dass ein weißes Hemd nicht unbedingt das Kleidungsstück der ersten Wahl ist, wenn man als Papa seinen Sohn auf einen Kleinkindergeburtstag begleitet, weil Schokoladenkuchen, Smarties, Mohrenköpfe und so weiter. Dazu muss ich aber einwenden, dass es sich nur um ein ungebügeltes, naturweißes Freizeithemd handelt, dass es eh schon Flecken hat und dass ich mit einem weißen Hemd irgendwie zum Ausdruck bringen wollte, dass Gretas Geburtstag ein besonderer Tag für mich ist. Außerdem ist Tante Hilda Chefredakteurin eines führenden Modemagazins. Da will man nicht gerade im Kampfanzug kommen. Und solange es bei Zitronenwasser bleibt, ist ja wohl alles in Ordnung.

Der Dachgeschosspalast ist natürlich eingerichtet, als hätte Tante Hilda eigens zu diesem Zweck die drei aktuell wichtigsten Mailänder Innenarchitekten eingeflogen und sie eine Woche lang hier zum Brainstorming eingesperrt. Selbst das rote Bobby-Car, das sie extra für Greta und ihre Freunde angeschafft hat, sieht aus wie ein gezielt platziertes Wohnaccessoire.

Falls Sie es nicht wissen: Ein Bobby-Car ist für Zweijährige das, was ein Lamborghini Miura für Dreißigjährige ist. Der finale feuchte Traum vom Sich-Fortbewegen auf vier Rädern. Als Antrieb des Bobby-Cars dienen zwei Kinderbeine. Das Bewegungsmuster ist anscheinend angeboren. Es gibt weltweit keinen bekannten Fall, bei dem man einem Kind erklären musste, wie man auf einem Bobby-Car vorankommt, genau wie es weltweit keinen bekannten Fall eines Mannes gibt, dem man erklären musste, wie man einen Miura startet. Die Kleinen setzen sich auf das Bobby-Car, stellen ihre Füße links und rechts auf den Boden und stoßen sich ab. Während das Bobby-Car nach vorne rollt, werden die Beine, ähnlich wie beim Brustschwimmen, wieder nach vorne gezogen. Die Fußspitzen schleifen dabei über den Boden. Die Lebensdauer der Kinderschuhe eines Bobby-Car-Fahrers ist deswegen etwa ebenso lang wie die einer Miura-Tankfüllung. Und der Lärm, den die Bobby-Car-Räder auf Parkett oder Fliesen machen, treibt Nachbarn ebenso zuverlässig in den Wahnsinn wie ein röhrender Spaghettimotor vor dem Wohnzimmerfenster.

Wenn man mehrere Kinder in einer Wohnung zusammenbringt, so ist normalerweise darauf zu achten, dass genauso viele Bobby-Cars wie Kinder da sind, weil es sonst regelmäßig tiefe Kratz- und Bisswunden gibt. Nur

bei Tante Hilda scheint diese Regel nicht zu gelten. Sie ist die einzige Frau Berlins, die es schafft, vier Kinder, ein Bobby-Car und Frieden unter einem Dach zu vereinen. Ausstrahlung, unsichtbare positive Energieströme, Drogen im Zitronenwasser – keine Ahnung, wie sie das hinkriegt. Ich muss sie wirklich bei Gelegenheit mal fragen.

Die Party hat sich inzwischen vollends auf die Dachterrasse verlagert. Tante Hilda hat zwei kleine Plastikwannen aufgestellt, in der die Kinder Enten und Bötchen schwimmen lassen. Nur Herr Baumer und ich sitzen noch drin.

»Ich würde niemals meinen Balkon gegen eine Dachterrasse tauschen. Oder wollen Sie sich vielleicht von Hubschrauberpiloten beim Sonnenbaden beobachten lassen?«

»Hmpf.«

Er redet seit einer Stunde. Es gibt nicht viel, was mich dazu bringen könnte, aus diesem wunderbaren Sofa aufzustehen, aber er hat es tatsächlich geschafft. Ich entschuldige mich und gehe zur Toilette.

Toilette.

Meine Schwester hat mich früher immer zur Raserei getrieben, weil sie auf dem Klo gelesen hat. Eine Stunde war an guten Tagen keine Seltenheit. Habe ich nie verstanden, wie man sich auf einer Klobrille sitzend in einen Roman vertiefen kann. Da schlafen einem doch die Beine ein, und auch als Mädchen hat man sicher irgendein Pendant zu den Eiern, das man sich verkühlen kann, was weiß ich. Ich war jedenfalls immer zügig wieder draußen und habe meine Bücher anderswo studiert.

Bis Daniel kam.

Seitdem ist die Toilette für mich zu einer Oase der Stille geworden. Ich verlasse sie niemals, ohne nicht vorher die Nase ausgiebig in irgendein Druckwerk gesteckt zu haben, und eingeschlafene Oberschenkel finde ich heute sogar lustig.

Tante Hildas Toilette ist ein Prachtexemplar. Durch eine Milchglaskuppel fällt feines Licht auf travertinverkleidete Wände und designpreisgekrönte Badkeramik. Der Klobrille sieht man an, dass sie, wie alle guten Klobrillen, zunächst etwas kühl, dann aber, wenn man ihr erst einmal genügend Schenkelwärme zugeführt hat, warm und gemütlich sein wird. Auf einem Sideboard stapeln sich die neuesten Ausgaben aller gehobenen Frauenmagazine. Ich suche mir eine aus und lasse mich seufzend nieder.

Beim Blättern bleibe ich bei der in diesem Jahr obligatorischen Scarlett-Johansson-Fotostrecke hängen. Da steht sie, die weiße Bluse vollends aufgeknöpft und bis zum äußersten Anschlag zur Seite geschoben. Ein Naturschauspiel erster Güte. Da muss ich natürlich das Interview lesen. »Ich mag meine Mädels«, sagt sie. Ich muss den Absatz zweimal lesen. Nein, kein Zweifel. Damit hat sie ihre Brüste gemeint. Scarlett Johansson nennt ihre Brüste Mädels.

Wieder draußen, gehe ich mit eingeschlafenen Beinen an Herrn Baumer vorbei auf die Dachterrasse. Ich habe kein schlechtes Gewissen. Man kann viel von mir erwarten, aber nicht, dass ich mich auf eine Männerfreundschaft mit einem Versicherungskampfrhetoriker einlasse.

Die Kinder haben nur noch Windeln an, damit die Klamotten bei den Planschespielen nicht nass werden, und die Mütter stehen inzwischen allesamt an der Dachterrassenbrüstung und lassen Tante Hilda ihren Job machen. Die Aussicht ist fantastisch. Fernsehturm, Domkuppel, Synagoge, alles strahlt uns an und gratu-

liert zum schönen Nachmittag. Durch die Scheibe sehe ich, wie Herr Baumer auf der Toilette verschwindet. Irgendwie ärgert mich das. Er hat diese Toilette nicht verdient. Und erst recht nicht die Scarlett-Johansson-Fotostrecke. Gleich kommt er sicher zu mir. »Würden Sie mit einer Frau verheiratet sein wollen, die ihre Brüste Mädels nennt?« – »Hmmm … schwierig.«

Ich umarme Simone von hinten. Wir schließen beide die Augen und lassen uns bescheinen. Ich liebe es, wie sie riecht. Ganz besonders in der Sommersonne.

»Warum klappen wir eigentlich nicht die Liegen aus?«

Annette hat völlig recht. Tante Hilda hat diese Art Sonnenliegen, auf die man sich drauflegt und nie wieder aufstehen möchte. Man schwebt gerade mal zwanzig Zentimeter über dem Boden, fühlt sich aber komplett außerhalb von Raum und Zeit. Wir strecken uns aus, und ich lege mir Simones Hand auf den Bauch. Für einen kurzen Moment verlaufen unsere Planetenbahnen ein bisschen weniger eierig, weil sich der dritte Planet gerade auf der anderen Seite der Sonne befindet.

Nach gefühlten zwei Sekunden kommt der dritte Planet natürlich wieder herangeschossen und patscht mir auf den Arm. »Na, was ist los, Daniel?«, sage ich und wuchte ihn mir mit einem eleganten Schwung auf den Bauch. Der Grund seines Besuchs ist natürlich nicht, dass er sich zwischendrin meiner ungebrochenen Zuneigung versichern wollte. Nein, die Windel ist mal wieder fällig. Nun ja. Gehört dazu. Wer nach zweieinhalb Jahren immer noch mit dem Windelwechseln hadert, hat einfach nicht die Eier für gepflegtes Papatum. Aber von dieser Liege aufzustehen ist wirklich verdammt schwer.

Daniel tapert im Cowboyschritt neben mir her. So geht er immer, wenn er die Windel voll hat. Allein dieser Anblick entschädigt einen für vieles. Ich schnappe mir die Papatasche und krame die Windelausrüstung heraus. Am liebsten würde ich diese Wechselaktion direkt neben Herrn Baumer über die Bühne bringen, aber Herr Baumer ist immer noch auf der Toilette. Ich hätte die Scarlett-Johansson-Fotostrecke wirklich herausreißen sollen.

Ich breite mit geübten Handgriffen die Wickelunterlage auf dem Sofa aus, lege Daniel drauf und nähere mich mit angehaltenem Atem der Stinkzone. Die moderne Einwegwindel ist zum Glück ein hochgradig ausgereiftes Wunderwerk der Technik. Montage und Demontage gehen ruckzuck, sie ist fast komplett idiotensicher, sitzt bequem und lässt in aller Regel nichts, aber auch wirklich gar nichts nach draußen.

Ich brauche keine Minute, um alles zu erledigen, und schicke Daniel wieder ins Getümmel. Beim Händewaschen dann der fürchterliche Schreck: Ich sehe in Tante Hildas übergroßem Badezimmerspiegel einen braunen Fleck auf meinem Hemd. Wie konnte das passieren? Ein Profi wie ich ... Aber es ist nur Schokoladenkuchen. Während die niederen Abteilungen meines Gehirns noch damit beschäftigt sind, den spontanen Ekelalarm abzustellen, rätsele ich herum, was zu diesem Desaster geführt hat und komme zu keinem Ergebnis. Ich habe doch noch gar keinen Schokoladenkuchen angefasst?

Egal, jetzt erst mal wieder gesellschaftsfähig werden. In meiner Papatasche ist wirklich alles drin: Essen, Trinken, Spielsachen, Windeln und natürlich kiloweise Daniel-Wechselklamotten. Aber natürlich kein Ersatzhemd für mich. Seis drum. Dann müssen eben warmes Wasser und Seife ran.

Zehn Minuten später verlasse ich das Bad mit einem riesigen, nach Tante Hildas Macadamiaseife duftenden

Wasserfleck auf dem Hemd. Eine zarte Braunschattierung ist geblieben. Hoffentlich sieht man das nicht auf den ersten Blick. Könnte falsche Assoziationen hervorrufen. Herr Baumer ist immer noch auf dem Klo. Wie lange kann ein Mann brauchen, um sein Sperma aufzuwischen? Aber mir soll es recht sein. Auf der Dachterrasse rast Klara mit dem Bobby-Car auf mich zu. Ich hüpfe in die Grätsche und biete ihr einen hübschen Tunnel zum Durchfahren an. Im Prinzip wäre sie auch gerne durchgefahren, aber eins von den Plastikwassertieren liegt im Weg, gerät unter die Räder und wirft das Bobby-Car aus der Spur. Nun bin ich wirklich nicht so der knochige Typ, und es gibt viele Stellen, an denen mein Körper einen kräftigen Bobby-Car-Rammstoß gut abpuffern könnte. Mein Schienbein gehört aber nicht dazu. Klara ist nach dem Zusammenprall leider völlig von der Rolle und sieht so aus, als ob sie gleich anfängt zu heulen. Ich verschiebe also das Fluchen und einbeinige Herumhüpfen auf später, grabe sie unter dem Bobby-Car aus und nehme sie auf den Arm. Na also. Sie lacht wieder. Ich setze sie zurück auf ihren Feuerstuhl und humpele zu den Liegen.

»Na, wo hast du so lange gesteckt?«

»Ich hatte Schokokuchen am Hemd.«

»Iiihh. Na, den Fleck solltest du aber schnell rauswaschen.«

»Hab ich schon versucht. Sieht man doch. Ging nicht besser.«

»Äh, Markus, schau noch mal genau hin.«

Mit dem genervtesten aller verfügbaren Gesichtsausdrücke sehe ich an mir herunter und erstarre. Neben der gewässerten Hemdregion ist aus heiterem Himmel ein neuer brauner Batzen nachgewachsen. Da komme ich nicht mehr mit. Im Laufschritt eile ich zurück

Richtung Bad, wieder mit einem riesigen Fragezeichen über meinem Kopf. Erst als ich schon im Wohnzimmer bin, kommt mir der entscheidende Verdacht. Ich mache auf dem Absatz kehrt und schnappe mir Klara. Bingo. Schokokuchen an der Windel. Und ich Depp musste sie natürlich auf den Arm nehmen.

»Hallo, ihr da! Klara hat sich irgendwo in Schokoladenkuchen gesetzt.«

Und Daniel vorhin wohl auch. Ist mir nur beim Windelwechseln nicht aufgefallen, weil ich mittlerweile so geübt bin, dass ich gar nicht mehr richtig hinsehe. Wir sollten schleunigst den Stuhl finden, auf dem das plattgesessene Kuchenstück steht. Aber erst mal muss ich mich um mich kümmern. Auf dem Weg zum Bad laufe ich fast in Herrn Baumer. Er sieht mein Hemd und zeigt auf den Fleck.

»So was soll man ja lieber eintrocknen lassen.«

Schade, dass ich keinen Spermafleck auf seiner Hose sehe. Sonst hätte ich sagen können: »Und das hier bestimmt auch.«

Im Bad veranstalte ich die nächste Seifenorgie. Nach fünf Minuten harter Arbeit ist auch der zweite Schokobatzen von meinem Hemd verschwunden. Die Braunschattierung des Wasserflecks ist natürlich eine Nuance stärker geworden. Allmählich sehe ich ein, dass das mit dem weißen Hemd wirklich eine Scheißidee war. Trotzdem werde ich diesen Nachmittag in Würde zu Ende bringen.

Ich schnappe mir noch ein Glas Zitronenwasser und lehne mich über die Brüstung. Ob ich Tante Hilda nach Bier fragen soll, oder ziemt sich das nicht für einen Kindergeburtstag? Was sind das wieder für Fragen? Warum sollte man auf einem Kindergeburtstag kein Bier trinken? Ich hätte einfach einen Kasten mitnehmen sollen.

Herr Baumer gesellt sich zu mir.

»Was ich übrigens schon lange mal fragen wollte, ich habe gehört, Ihr Sohn liebt Ballett?«

Dieses angedeutete Grinsen. Zum Reinschlagen. Das soll wohl jetzt der Frontalangriff auf meinen unverdienten 100-Bilanzpunkte-Vorsprung werden. Dem Mann kann geholfen werden.

»O ja, Daniel liebt Ballett. Und, im Vertrauen gesagt, er tanzt auch Ballett. Und, ganz unter uns, er trägt dabei sogar ein Röckchen. Und, aber nur, wenn Sie es niemandem weitersagen, ich zieh mir dann auch immer ein Röckchen an und tanze mit.«

Ich sehe ihm verschwörerisch in die Augen. Die Baumersche Hirnbilanzrechenmaschine hört mit einem Schlag auf zu rattern. Für einen kurzen Augenblick herrscht unheimliche Stille. Dann höre ich, wie die Akte Heisenkamp in seinem Hirn ein für alle Mal zugeklappt, ein fetter »Nicht satisfaktionsfähig«-Stempel auf den Deckel gedonnert und der zuständige Sachbearbeiter wegen Beschäftigungsmangel in eine andere Abteilung versetzt wird. Großartig!

Daniel kommt an und will auf meinen Arm.

»Erzähl doch mal Herrn Baumer was vom Ballett.«

»Wir, wir, wir ham *Schwanensee*, da, da tanzt die Schwanenkönigin, mit dem Prinz, der Prinz kommt da rein, da springt der sooooo hoch …«

Ich könnte lachen, dass es der ganze Prenzlauer Berg hören würde, aber ich schaue lieber stolz drein und nicke ernsthaft dazu. Herr Baumer nickt auch und wirkt irgendwie verstört. Nachdem Daniel seine Balletterzählungen beendet hat, schicke ich ihn wieder zu den anderen.

»Oh, was ist denn da auf Ihrem Hemd, Herr Heisenkamp? Das ist doch nicht etwa schon wieder …?«

Wie jetzt? Ich hab doch Daniel vorhin die versaute Windel … Aber nein, tatsächlich. Da klebt der nächste Schokobatzen. Ich fasse es nicht. Wortlos trabe ich hinter Daniel her und schnappe ihn mir. Ja. Er hat wieder Kuchen an der Windel. Wie vorhin Klara. Ich scanne mit einem scharfen Rundumblick alle für Kinder erreichbaren Sitzflächen auf der Terrasse. Nichts. Wo kommt das nur her?

Tante Hilda zupft mich am Ärmel.

»Markus, du bist doch ein Medienmensch. Was meinst du? Ich habe das Gefühl, man könnte langsam mal was bringen, was euch, also die neuen Papas, ganz groß herausstellt. Euer Leben, eure Nöte, eure geheimen Träume. Und auch so modetechnisch. Eben alles auf den Punkt gebracht. Weißt du, was ich meine?«

Keine Ahnung, was sie meint.

»Hm ja, ich glaub schon.«

»Also, wenn du eine Idee hast, ruf mich an. Ich hab im Moment mindestens fünf offene Ohren dafür.«

»Geht klar. Ich behalts mal im Hinterkopf.«

»Und das hier solltest du lieber eintrocknen lassen.«

»Tante Hildaaaaa! Tante Hildaaaaa!«

Die Kinder fordern ihr Recht ein. Tante Hilda rauscht ab, und ich grüble immer noch, was sie gemeint hat. Aus den Augenwinkeln sehe ich Greta mit einem Stück Schokoladenkuchen in der Hand zu Daniel auf dem Bobby-Car tapsen, Daniel steht kurz auf, Greta legt ihm das Kuchenstück auf den Sitz, und er nimmt wieder Platz. Ich starre Greta mit offenem Mund an. Sie setzt ihr bezauberndes Lächeln auf.

»Hab ein Weichsitz macht.«

»Hast du … toll gemacht, Greta.«

*

Wieder zu Hause angekommen, widme ich mich kurz vor dem Schlafengehen für eine halbe Stunde meinen spärlichen Außenkontakten. Mein geliebter großer Bruder Hubert hat mir natürlich die fällige Spottmail zum gestrigen Bundesligaspieltag als Abendlektüre geschickt. Zur Illustration hat er Fotos von einem verzweifelten Duisburger und einem jubelnden Dortmunder heruntergeladen und reinkopiert. Ich schmeiße das Machwerk in den Papierkorb und leere ihn anschließend dreimal. Als ob ich keine anderen Sorgen hätte. Ich fotografiere mein versautes Hemd, style es in Photoshop zum Dortmund-Trikot um und schicke es ihm als Antwort.

4 Strawinsky

Die Woche hat uns wieder. Simone: 6:30 Uhr Flug ab Berlin-Tegel, ich: 6:35 Uhr erste Windel wechseln, überkochende Milch bändigen, Daniel beruhigen. Eigentlich hat ganz Berlin diese famosen Gasherde. Da stellst du den Milchtopf zehn Sekunden auf die kleinen blauen Flämmchen, hältst den Finger als lebendiges Thermometer rein und drehst ab, sobald es warm wird. Aber unser Hausbesitzer hielt es für einen technischen Fortschritt, das Gas aus dem Haus zu verbannen und Elektroherde einzubauen. Bis die Milch da mal warm wird, dauert es Jahre. Dann willst du zwischendrin irgendwie die Zeit nutzen, suchst deinen zweiten Pantoffel oder kämpfst mit einer abstehenden Haarsträhne und zack – Milch-Atompilz überm Topf, Gestank, Kind wütend und du immer noch im Halbschlaf und trotzdem mittendrin im Chaos.

Aber diese Phase ist inzwischen längst überstanden. Wir sind sauber und angezogen, haben gefrühstückt und ein paar Bilderbücher gelesen. Und jetzt, bei Tageslicht und mit ganz geöffneten Augen, fällt die nächste Windel schon viel leichter.

Meistens zumindest.

»Ich mach mir den Wutz steif.«

»Nein, nicht den Wutz steif machen. Sonst kann ich dir die Windel nicht anziehen.«

Zu spät. Das kleine Ding zeigt senkrecht in die Luft.

Daniel lacht zufrieden. Simone würde ihm jetzt einfach den Stängel nach unten biegen und ihm trotzdem die Windel anziehen. Ich bringe das aber nicht übers Herz. Wenn das einer mit mir machen würde. Arrgh. Ich warte lieber und versuche Daniel abzulenken, damit er nicht wieder dran reibt.

Immerhin, zwei Tage haben anscheinend gereicht, um ihn von Penis auf Wutz umzuschulen. Und drei Wochen noch, Freundchen, dann bist du im Kindergarten. Drei Wochen, das ist so wenig, dass ich heute richtig Lust habe, ein paar Unternehmungen zu machen, bei denen ich es normalerweise hasse, dich dabeizuhaben. Einfach, um die Vorfreude zu steigern.

Einkaufen zum Beispiel.

Nachdem der Wutz nach einer kleinen Ewigkeit wieder windelkompatibel ist, schließe ich die Klettverschlüsse und hebe Daniel von unserem praktischen Waschmaschinen-Wickeltisch herunter. Zum Supermarkt muss man drei Straßen überqueren. Eigentlich kein Problem. Nimmt man den Kleinen eben dreimal fest an die Hand, schaut mit ihm zusammen nach Lücken zwischen den Kilometerfressern und saust im richtigen Moment los. Das Dumme ist nur, dass irgendjemand vor ein paar Jahren die blöde Idee hatte, das Kinderlaufrad zu erfinden.

Gut, ich gebe zu, das Kinderlaufrad hat nicht nur schlechte Seiten. Wenn man es mit dem Bobby-Car vergleicht, muss man immerhin sagen, es macht keinen Lärm und verschleißt deutlich weniger Schuhe. Das Problem ist nur, es ist – schnell. Unsere Vorväter hatten gute Gründe, warum sie ihren Zwergen nie etwas anderes als die schrecklich lahmen Dreiräder spendierten. Aber unser Laufraderfinder war nicht mit deren Weitblick gesegnet. Erst als ihm sein kleiner Racker zum ersten Mal auf dem Bürgersteig einer stark befahrenen Straße mit Höchsttempo davongefitscht ist und er nur noch beten konnte, dass er bei der nächsten Querstraße wieder anhält, fiel bei ihm der Groschen. Leider war es dann schon zu spät. Das Ding war längst in Serie gegangen und ergoss sich kurze Zeit später landauf, landab über die Geburtstagsgabentische.

Daniel hat natürlich auch eins. Ich weiß nicht sicher, ob er im Vergleich zu den anderen Kindern besonders schnell damit unterwegs ist. Einen vagen Verdacht habe ich aber schon, dass er der Evil Knievel des Laufrads ist.

Und natürlich will Daniel heute mit dem Laufrad einkaufen gehen. War ja klar. Ich mache gute Miene zum bösen Spiel und schleppe das Ding die zwei Treppen runter. Auf dem Bürgersteig angekommen, lasse ich ihn vom Haken, wie immer mit einem komischen Gefühl im Magen.

Als Erstes kommt die Lychener Straße. Daniel ist noch nicht richtig warm. Deswegen ist er mir, als er der Bürgersteigkante entgegenrollt, nur so weit voraus, dass ich ihn notfalls noch mit einem Oliver-Kahn-Gedächtnis-Hechtsprung erwischen könnte. Kurz bevor ich abhebe, steigt er aber brav in die Eisen. Nicht einmal einen Zentimeter ragt das Vorderrad in den Straßenraum. Sehr präzise gebremst, muss man ihm lassen.

Aber die Lychener ist nur eine Nebenstraße. Da schleichen gewöhnlich höchstens ein paar harmlose Parkplatzsucher herum. Ganz anders die Pappelallee, die wir als Nächstes meistern müssen. Durchgangsverkehr, Straßenbahn, das ganze Programm. Und die Aufwärmphase ist jetzt leider auch vorbei. Daniel zischt mit Warp 9,9 davon. Kein Torwart der Welt könnte ihn noch abfangen. Ich brülle noch einmal aus Leibeskräften:

»An der Straße Stopp machen!«, falle dann auf die Knie und fange an zu beten. Zwecklos. Daniel wird immer schneller. Selbst schuld. Warum bin ich bloß aus der Kirche ausgetreten? Da! Drei Meter vor der Kreuzung. Eine Qualmwolke. Daniel ist nicht mehr zu sehen. Ein Zwanzigtonner donnert vorbei. Wie in Trance lese ich die Aufschrift auf der Plane.

Spedition Mordhorst.

Ich renne los. Der Qualm verzieht sich.

Okay. Daniel steht, als wäre nichts gewesen, an der Bordsteinkante und summt ein Liedchen. Aus den zwei schwarzen Bremsspuren, die seine 60-Euro-Kinderschuhe hinter ihm auf den Gehwegplatten hinterlassen haben, züngeln kleine Flammen.

Als hätte der Verkehr Mitleid mit mir armem geplagtem Papawesen, spendiert er uns, als ich bei Daniel ankomme, aus heiterem Himmel eine großzügige Lücke und lässt uns passieren. Wir kommen genau bis zur Mitte der Straße.

»Guck mal, Papa. Ein ganz großer Popel.«

Daniel streckt mir etwas Grünlich-Gräulich-Schleimiges auf seinem Zeigefinger entgegen.

»Sehr schön, aber musst du hier mitten auf der Straße popeln? Komm weiter. Schnell!«

»Aber kannst du den mir abmachen?«

Höllenhunde! Ich habe kein Tempo in der Hosentasche, und die Blechlawine marschiert unaufhaltsam. Aber bis das Popelproblem nicht gelöst ist, komme ich hier nicht mit ihm weg. Ich lasse ihn das Schleimding schweren Herzens an meinem Hemd abwischen und atme auf, als er sich wieder in Bewegung setzt.

Ganz knappe Sache. Jetzt kommt zum Glück nur noch die Stargarderstraße, und die hat eine Ampel. Mein Puls ist wieder halbwegs unten und hofft, für eine Weile dort bleiben zu können, obwohl mir Daniel schon wieder gefühlte fünf Kilometer voraus ist.

Grün.

Ich sehe von weitem, dass er trotzdem an der Bordsteinkante anhält. Sehr brav. Als ich ankomme, ist immer noch grün.

»Okay. Wir können gehen.«

Daniel fährt dicht neben mir her. So ganz geheuer sind ihm die stehenden Autos nicht. Gut so.

»Oh! Rot!«

Er hält schon wieder mitten auf der Straße an.

»Ja, rot. Jetzt müssen wir ganz fix von der Straße.«

»Aber rot!«

Keine Macht der Erde kann ihn dazu bewegen weiterzufahren. Verständlich. Rot heißt Stehenbleiben. Hab ich ihm so beigebracht. Mit weiteren Feinheiten braucht man jemandem in seinem Alter nicht zu kommen. Ich muss sanfte Gewalt anwenden. Die anrollenden Autofahrer sehen es gelassen. So ein entzückender überforderter Papa mit seinem süßen kleinen Laufradbengel stimmt selbst den rabiatesten Rechtsabbieger gnädig. Nur mein Puls halt wieder. Aber egal. Wir haben es geschafft.

Im Supermarkt angekommen, gelingt es mir, Daniel zu überzeugen, dass es besser ist, das Laufrad vor dem Drehkreuz stehenzulassen. Klingt wie ein Wunder, ist aber ausschließlich einer anderen, im Gegensatz zum Laufrad wirklich genialen neuzeitlichen Erfindung zu verdanken: dem Einkaufswagenauto. Vorne Kinderauto, hinten Einkaufswagen. Quasi modernste Hybridtechnologie. Vorne sitzt der Knirps drin und denkt, dass er lenkt. Hinten schiebe ich und lenke in Wirklichkeit. Macht einem das Leben wirklich leichter. So etwas hatten unsere Vorväter wiederum überhaupt nicht auf dem

Schirm. Wahrscheinlich, weil sie nie einkaufen mussten. Nur ein bisschen Geld verdienen, ein bisschen in den Krieg marschieren und auf Familienfotos den strengen Rohrstockschwinger mimen. Weicheier.

Früher war ich ja, im Gegensatz zu den meisten anderen, ein begeisterter Supermarkteinkäufer. Den Einkaufswagen elegant durch unmögliche Engpässe schlenzen, Schwung holen und mich hinten draufstellen und ein Dutzend Extrarunden drehen, bis hinter jeder Einkaufszettelposition ein Häkchen stand, war mein höchster Spaß. Seit ich mit Daniel einkaufen muss, setze ich dagegen strikt auf Effizienz. Ich habe mich in kürzester Zeit zu einem großen Meister des rationellen Einkaufszettelschreibens entwickelt. Die Warenreihenfolge ist immer exakt auf die Supermarktdramaturgie abgestimmt. Erst Obst und Gemüse, dann Kühlregal, dann Käsetheke und so weiter.

Beim Abklappern der Haltestellen muss ich aufpassen, dass ich mit dem Wagen nicht auf Kinderarmlänge an die Waren herankomme, weil Daniel sonst seine eigene Einkaufstour durchzieht. Neulich musste ich mal unter den Augen der Kassiererin eine Dose indonesische Fischsuppe, eine offene Senftube sowie ein mit Senf beschmiertes Herrenmagazin aus seiner Autokabine herausfischen. So was kann man vermeiden, wenn man ein Auge auf den Abstand hat. Wenn außerdem noch die süßwarenfreie Kasse besetzt ist, ist das schon mal die halbe Miete.

Aber eben leider nur die halbe. Ganz fies und absolut nicht zu vermeiden sind die Überraschungseiständer, die an jeder strategisch wichtigen Kreuzung platziert sind. Ein Überraschungsei ist deswegen schon mal auf jeden Fall der Grundzoll, ohne den ich Daniel aus keinem Supermarkt wieder herausbringe. Ich muss sogar froh sein, wenn es nur bei *einem* Überraschungsei bleibt. Nach Daniels Logik ist nämlich pro passiertem Überraschungseiständer ein Ei fällig. Und ab fünf Eiern noch ein Bonusei.

Auch nicht ohne ist das Glasbecken, in dem die lebenden Karpfen feilgeboten werden. Fischegucken findet jeder kleine Knirps toll. Theoretisch könnte ich Daniel vor dem Todesaquarium parken, in Ruhe meinen Beutezug hinter mich bringen und ihn hinterher wieder abpflücken. Aber wehe, Oma Krause hat heute Karpfen auf ihrem Menüzettel. Dann schnappt sich die Verkäuferin ein Fischlein, zückt das Hackebeil und zack, zack, bitte schön, darf es sonst noch was sein? Und ich muss dann einen schwer traumatisierten, leichenblassen, stummen Knaben zum Kinderpsychologen schleppen. Nein, nein. Fischegucken nur unter Aufsicht und ganz schneller Abgang, wenn robuste Damen mit großen Einkaufstaschen und Mordlust in den Augen anrücken.

Eine etwas bessere Kinderparkstation ist da schon der Kindercomputer ein paar Regalreihen weiter. So ein kleines Malprogramm nagelt Daniel ebenso zuverlässig vor dem Bildschirm fest wie mich früher Space Invaders an der Telefunken-Palcolor-Glotze. Schade nur, dass die anderen Kinder natürlich auch ranwollen und jeweils nur einer der Glückliche sein kann. Nun soll ja so hin und wieder ein kleiner zwischenkindlicher Konflikt mit anschließender Einigung im Prinzip nicht schlecht für die Entwicklung eines stabilen weltmännischen Charakters sein. Aber Daniel interpretiert die Aufgabe eher in Richtung: »Piesacke die anderen so lange, bis du den Computer für dich alleine hast.« Und ich muss dann die heulenden kleinen Mädchen trösten, die empörten großen Jungs überreden, Daniel nicht zu verhauen, und mich bei den betroffenen Eltern entschuldigen.

Der frühe Nachmittag ist aber eine gute Zeit. Der Computer ist frei. Daniel klettert aus seiner Fahrerkabine und startet das Malprogramm so routiniert wie ein Jungmanager seinen Laptop. Ich sehe noch kurz zu, wie er beginnt, weiter an seiner Stellung als Jackson Pollock der Touchscreen-Malerei zu arbeiten, und mache mich dann dezent vom Acker.

Das anvisierte Finale furioso unserer gemeinsamen Einkaufszeit wird heute wohl ausfallen, denke ich, während ich mein halbverwaistes Hybridfahrzeug durch die Warenschluchten lenke. Essigessenz, Küchenkrepp, Brechbohnen. Ob die Dame an der Kasse mich auch noch so lieben wird, wenn ich demnächst ohne Daniel vor ihr auftauche? Naturjoghurt, Frischkäse, Vollmilch. Oder bricht dann wieder die Altberliner Kodderschnauze durch? Vollmilchschokolade, Haferflocken, Dinkelmehl. Wahrscheinlich. Aber ist mir egal. Frauen, die nur auf billige Kindchenschlüsselreize anspringen, können mich kreuzweise. 100 Gramm Kernschinken, 100 Gramm Serrano, 100 Gramm Putenbrust, vielen Dank. Hauptsache, ich muss nicht mehr dauernd aufpassen. Apfelsaft, Traubensaft, Karottensaft. Einkaufen wird für mich künftig so erfrischend sein wie ein Gang durch einen morgentaubenetzten Zen-Garten. Fischstäbchen, Pizza Funghi, Schokoladeneis. Und die Story, wie Daniel einst Löwensenf und nackte Mädels zusammenführte, wird noch in vielen Jahren einen guten Lacher geben.

Hm, da fällt mir ein, zu den Zeitschriften könnte ich auch noch gehen. Siebter Gang von links. Au weia. Die Magazine für meine Altersgruppe sind im Moment absolut monothematisch unterwegs. Scarlett Johansson. Überall. Überall? Solche Behauptungen sollte man eigentlich nur nach gründlicher Recherche aufstellen. Ich blättere mich sorgfältig durch etwa zehn Magazine.

Doch. Überall. Scarlett Johansson und ihre spärlich verhüllten Mädels. So was aber auch.

Jetzt Daniel vom Bildschirm lösen, bezahlen und ab nach Hause.

O nein, er ist weg!

Der Hocker ist leer, und das Malprogramm zeigt eine unheilschwanger schwarz-rote Farborgie. Das kann nicht wahr sein. Daniel hat sich noch nie auch nur einen Meter vom Kindercomputer wegbewegt, außer um mich zu holen und mir zu sagen, dass ich die anderen Kinder wegschubsen soll. Aber es ist weit und breit kein anderes Kind zu sehen.

Wie viele Monate kaufe ich schon mit Daniel ein, und was ist nicht alles schon passiert. Aber nie, nie habe ich ihn verloren. Ich gebe ja zu, dass ich insgeheim noch auf eine gute Anekdote gehofft hatte, irgendwas, was ich noch hinterherschieben kann, wenn die Lacher über die Playboy-Senf-Geschichte am Verklingen sind. Aber gefälligst nicht so was Ernstes wie das hier.

Was war das für ein entsetzliches Gefühl, wenn man als Kind seine Eltern im Getümmel verloren hat. Von einem Moment auf den anderen besteht der Körper nur noch aus saurer Milch, tausend Alarmtröten tröten im Dauerton durch den Kopf, und man spürt seine Beine nicht mehr. Komisch. Genau so fühle ich mich jetzt, obwohl die Rollen ja wohl eindeutig vertauscht sind. Wo kann er hin sein? Oder hat ihn jemand mitgenommen? Der Supermarkt wimmelt nur so von Spinnern. Wie konnte ich ihn überhaupt jemals allein am Kindercomputer lassen? Da sitzt er doch wie auf dem Präsentierteller für alle Kidnapper, Perversen und Organhändler. Mein Magen sackt bis zum Anschlag durch. Ich fange an, die Gänge abzurennen.

Brüllen. Ich muss seinen Namen brüllen. Vielleicht

haben sie ihn noch nicht betäubt, und er kann noch schreien.

»DAAANIEL!«

War mir gar nicht klar, was ich für ein Organ habe, wenn es drauf ankommt. In wenigen Sekunden weiß der ganze Supermarkt, dass hier einer jemanden namens Daniel sucht. Ich hätte nicht immer Keyboarder in der Band bleiben müssen. Mit dieser Stimme hätte ich als Sänger die Mädels zum Toben gebracht wie Angus Young, Mick Jagger und James Brown im Trio. Ist mir aber jetzt scheißegal. Mit jeder Sekunde schwindet ein Stück Hoffnung, dass das Ganze hier noch gut ausgeht.

»Papa, ich will auch so ganz viele Überraschungseier haben.«

Was? Daniel hat sich von hinten angeschlichen und zieht an meinem Hosenbein. Überraschungseier? Er zeigt auf ein Mutter-Tochter-Gespann, das auch mit einem Hybridmobil unterwegs ist.

»Tut mir sehr leid. Er ist uns einfach hinterhergelaufen, als er die Überraschungseier gesehen hat.«

In der Tat. Gut und gerne fünfzehn Stück hat die Dame da eingeladen. Dagegen ist Daniel ein Waisenknabe. Ich kann es nicht fassen.

»Alle für sie?«

»I wo. Sie feiert morgen Geburtstag und hat Freunde eingeladen. Topfschlagen und so.«

»Papa, ich will auch morgen Geburtstag und Freunde.«

»Du kommst jetzt erst mal her.«

Ich nehme Daniel ungestüm auf den Arm und drücke meine Nase in seine liebliche weiche Halspartie.

»Iiihhh. Neiiin. Kitzelt.«

»Ich kitzel dich gleich mal richtig, kleiner Ausreißer.«

»Quietsch!«

Ich bin nicht in der Lage, eine Standpauke zu halten. Wir einigen uns auf zwei Überraschungseier und machen uns auf zur Kasse. Schnell bezahlen und die Sachen sorgfältig in dem Rucksack und den zwei mitgebrachten Stoffbeuteln verstaut. Eigentlich wäre ein Hackenporsche praktischer, aber wie sieht das denn aus? Daniel schnappt sich das Laufrad und nimmt Fahrt auf. Durchhalten. Noch drei Straßenüberquerungen und dann machen wir nur noch Entspannung. Ich weiß auch schon was.

Die Stargarderstraßenampel wird grün. Wir zuckeln los.

Geschafft, wir sind drüben. Daniel ist jetzt zum Glück mehr nach Plaudern zumute. Er bleibt dicht neben mir und lässt den Turbobooster aus.

»Wann hab ich Geburtstag, Papa?«

»In einem halben Jahr.«

»In einem Halmjahr. Ist das morgen?«

»Fast.«

»Fast.«

So. Pappelallee. Ich lege meine Hand auf Daniels Schulter und stecke den Kopf in den Verkehr. Jetzt. Unsere Chance.

»Los, Daniel.«

Ja, das ist gut zu schaffen.

Ist das zu fassen? Warum bleibt dieser Satansbraten schon wieder mitten auf der Straße stehen? Und ausgerechnet jetzt kommt wieder der Spedition-Mordhorst-Zwanzigtonner. Hat wohl sein Zeug abgeliefert und ist auf dem Rückweg. Ich kann schon das unvermeidliche gestanzte Namensschild hinter der Windschutzscheibe lesen: Bruno.

»Hee, nicht stehen bleiben, Daniel!«

»Aber …«

»Nichts aber! Fahr weiter! Sonst sind wir gleich pl…«

QUIIIIIIIIIIIIIIIETSCH! TUUUUUUUUUUUUUUT!

»Aber ich muss noch mal zum Kompjuter. Ich muss mein Bild fertigmalen.«

*

Eigentlich hätte ich Bruno einen Scheinwerfer eintreten sollen und dann einfach mal sehen, was passiert. Aber zu riskant. Ein sauberer Lastwagenfahrer-Knockout klappt nur, wenn deine rechte Gerade überraschend und mit Wucht kommt. Das wiederum haut nur hin, wenn dein ganzer Körper beim Faustausfahren mithilft. Wenn aber der halbe Körper damit beschäftigt ist, Daniel von weiterem Unfug abzuhalten, kommt Bruno wieder hoch. Und wenn dann dein halber Körper immer noch mit Daniel beschäftigt ist, statt sich an überlebenswichtigen Deckungs- und Ausweichmanövern zu beteiligen, kannst du gleich duschen gehen. Also lieber unverrichteter Dinge ab nach Hause und friedlich die Fischstäbchen essfertig gemacht.

Als Nachtisch gibt es heute die Überraschungseier. Daniel ist schon heiß.

»Jetzt überrasche ich mal, was da drin ist.«

Das sagt er immer, bevor er der Alufolie zu Leibe rückt. Ich liebe diesen Satz. Ansonsten klare Rollenteilung, wie immer. Daniel macht Schokosauerei und ich baue die Plastikdinger zusammen. Heute: Der Wurzelsepp aus der Serie »Die wilden Waldwatze« und Poldi der Poltergeist aus der Serie »Spukschloss Kreischenfels«. Nicht schlecht. Jetzt haben wir schon insgesamt vier wilde Waldwatze. Wäre super, wenn wir die Gruppe noch komplett kriegen. Ich sammle das ganze

Zeug in einem Schuhkarton, und irgendwann wird das alles bei eBay versteigert. Es soll ja verrückte Sammler geben, die ihr letztes Hemd für irgendeinen blöden Überraschungsei-Zwerg eintauschen würden. Mit einer kompletten Waldwatzsammlung können wir vielleicht später Daniels Studium finanzieren.

Jetzt aber erst mal Mittagsschlaf. Wie gesagt, segensreiche Einrichtung. Quell der gepflegten Entspannung. Ein, zwei Stunden Stille. Erfrischend, wie für einen alternden Fußballstar die Halbzeitpause. Und wenn Daniel auch sonst, wie bereits erwähnt, komplett darauf ausgerichtet ist, mich fertigzumachen, beim Mittagsschlaf herrscht Waffenstillstand. Betrachtet er als Ehrensache. Schlafanzug anziehen, Lied singen und rtzefrrrh. Der restliche Nachmittag ist auch schon beruhigend verplant. Um drei kommt eine lange Ballettsendung auf Arte.

Aber jetzt erst mal Laptop her und Powerpoint gestartet. Also, der Name steht: feelgoood.com. Jetzt kommt das Wichtigste. Wie bringe ich meine Idee gleich bei der ersten Folie auf den Punkt?

Es geht um Gefühle.

Ja, das ist gut. Gefühle sind immer das Tor zum Kundenportemonnaie. Weiß man heute. Wenn du in den Fünfzigern einem Investor mit Gefühlen gekommen bist, hat er dir seinen Zigarrenrauch ins Gesicht gepafft. Aber heute raucht so einer bei der Arbeit gar keine Zigarren mehr, und wenn er »Gefühle« hört, fängt er schon beim Ü an zu sabbern.

Also, Headline erste Folie: Es geht um Gefühle.

So. Dazu noch ein passendes Bild. Jetzt einfach mal frei assoziieren. Gefühle … Simone … Daniel … Scarlett Johansson! Gefühle → Scarlett Johansson. Logisch und gleich ein topaktueller Bezug mit eingebaut. So, dann

suchen wir uns mal ein Bild im Internet. Google. Scarlett Johansson.

»Scarlett Johansson absolutely naked!!!«

Haha. Nicht mit mir. Bin Profi. Weiß ich doch, dass ich da auf einer üblen Pornowebsite lande, die mir sofort automatisch mein Konto leersaugt. Nein, wenn ich Nacktfotos von Scarlett Johansson bräuchte, wüsste ich schon, wo ich sie finde. Ich brauche aber nur ein dezentes Begleitbild für meine erste Folie. Also, was gibts da noch …

Hm, ob ich wirklich ein Nacktfoto von Scarlett Johansson aufstöbern könnte?

Nur mal kurz probieren. Quasi nur so als Test, ob ich noch fit bin. Internet steht ja nicht still. Muss man schon hin und wieder ein wenig gucken, was sich so tut.

*

Okay. Ergebnisse der Mittagschlafzeit:

⇨ Headline Folie Nummer eins fertig

⇨ Weltweit kein einziges Nacktfoto von Scarlett Johansson

Es geht um Gefühle

- ...
- ...
- ...

<Bild>

Manno. Produktiv nenne ich was anderes. Ich versohle mir mit einem virtuellen Rohrstock den Hintern, während ich Daniel wieder in seine Klamotten stecke. Aber egal. Kindergarten. Bald, bald. Jetzt erst mal Fernseher an, auf dem Sofa gemütlich gemacht und Ballett. Höchste Zeit. Es geht schon los. Schnell noch eine Videokassette rein und Aufnahme.

»... war die Uraufführung des Balletts *Le Sacre du Printemps* 1913 in Paris einer der größten Skandale sowohl der Tanz- als auch der Musikgeschichte. Das konservative Publikum empfand Wazlaw Nijinskis Choreografie als obszön und Igor Strawinskys Musik als zutiefst verstörend. Wir wünschen Ihnen nun viel Vergnügen mit Ausschnitten aus vier zeitgenössischen Inszenierungen von *Le Sacre du Printemps.*«

»Na, das klingt doch gut, was Daniel?«

»Ja klingut.«

UMPTA! ... UMPATUMPTA! ... UMPTA IHH IHH IHH! ... IHHH! ... UMPATUMPTA!

Ach, du Schreck. Strawinsky. Klar. Name klingt so ähnlich wie Tschaikowski, Musik aber ganz anders. Weiß man doch.

Meine Fresse. Und so was hat der den Leuten 1913 auf die Ohren gegeben? Kein Wunder, dass die fuchtig geworden sind. Und dann die Tänzerin. Fantasie-Indianerinnenkluft mit Zöpfen bis zum Po und springt wie ein Känguru auf Ecstasy. Und ich dachte, der Nachmittag würde gemütlich.

IHH IHH IHH! – UMPTA! TRÄÄÄTRÄÄÄ ... UMPATUMPTA! ... UMPTA IHH IHH IHH! ... IHHH! ... UMPATUMPTA!

»Ich glaub, wir gucken doch lieber *Schwanensee*, was Daniel?«

»Nein, das gucken!«

Keine Chance. Puh, da hab ich mir was eingebrockt. Frage mich, wie lange die Tänzerin das Gehüpfe noch durchhält. Noch dazu in der langen Kutte. Die schwitzt nicht einmal. Respekt.

Aber ich mache heute Abend auch noch Sport. Meine alte Internetagentur gibt es wie gesagt nicht mehr. Aber die Fußballmannschaft hat überlebt. VfB Pixelschubser. Jeden Montag von acht bis zehn in der Halle. Hier passieren Dinge, neben denen selbst das Wunder von Bern blass aussieht. Programmierer, die 166 der 168 Stunden einer Woche am Bildschirm kleben, rennen mit Lichtgeschwindigkeit die Flügel rauf und runter, hektische Projektmanager werden zu kaltblütigen Kopfballungeheuern, und selbst mein alter Chef Becker, der noch vor ein paar Jahren nicht mal einen Fußball von einem Medizinball unterscheiden konnte, kann inzwischen richtig gut geradeaus laufen.

So. Indianerinnentanz ist vorbei. Nächste Inszenierung.

UMPTA! … UMPATUMPTA! … UMPTA IHH IHH IHH! … IHHH! … UMPATUMPTA!

»Willst du das immer noch gucken, Daniel?«

»Ja, das gucken.«

Nerven wie Stahlseile, der Junge. Na gut. Dann will ich auch mal nicht kneifen. Was kommt denn jetzt? Ach, so eine klassische Im-Dreck-rumwälz-und-hysterisch-die-Augen-aufreiß-Nummer. Wie langweilig. Einen Heavy-Metal-Soundtrack müssten sie dazu einspielen. Oder, noch besser, Easy Listening. Haha. *Summer Samba* von Walter Wanderley. Was für ein Kontrast. Muss ich jetzt doch tatsächlich mal ausprobieren.

»Pass auf, Daniel. Die Tänzerin braucht jetzt mal andere Musik.«

Fernseherton aus, CD eingelegt. Die Hammondorgel

summt los. Dideldum, dideldei, dideldum, dideldei. Ah, fantastisch, wie das zusammengeht.

»Nein. Wieder die alte Musik hören.«

»Och Mönsch, Daniel, das stressige Rumgeeiere da. Muss das sein?«

»Aber wieder die alte Musik hören!«

Nichts zu machen. Hier spricht echte Verzweiflung. Also alles wieder auf Anfang, bevor es Tränen gibt.

UMPTA! TRÄÄÄTRÄÄÄ ... UMPATUMPTA! ... UMPTA IHH IHH IHH! ... IHHH! ... UMPATUMPTA! ... TA!!!!!

Und Schluss. Die Tänzerin bleibt schmutzstarrend liegen. Fadeout. Drei Sekunden Stille.

UMPTA! ... UMPATUMPTA! ... UMPTA IHH IHH IHH! ... IHHH! ... UMPATUMPTA!

Das ist wirklich Musik, die geschrieben wurde, damit man sie nie wieder aus den Ohren herausbekommt. Und was haben sie sich jetzt dazu einfallen lassen? Eine hagere Brünette in knapper Sportunterwäsche verrenkt sich auf grünem Kunstrasen. Wilde Männer tanzen heran, machen ihr Angst und ziehen ihr auch noch die letzten Stoffstücke vom Leib.

»Warum haben die Männer die Frau ausgezogen, Papa?«

Oh, oh. Jetzt aufpassen. Nicht das unbeschwerte kindliche Gemüt verstören.

»Vielleicht will die lieber nackich tanzen.«

»Ja, die will bestimmt lieber nackich tanzen.«

IHH IHH IHH! ... UMPTA! TRÄÄÄTRÄÄÄ ... UMPATUMPTA! ... UMPTA IHH IHH IHH! ... IHHH! ... UMPATUMPTA!

»Aber warum tanzt die so komisch?«

»Na ja, das ist halt modernes Ballett. Doch lieber *Schwanensee* gucken?«

»Nein, mir gefällt der moderne Ballett.«

Indianertanz, Drecktanz, Nackichtanz. Das wird Daniel Simone natürlich alles haarklein erzählen, wenn sie heimkommt. Hoffentlich steinigt sie mich nicht. Den Videomitschnitt hebe ich mal lieber auf. Wer weiß, was sie sonst denkt.

Eine kleine Ewigkeit später sinkt auch die nackte Dame zu Boden und räkelt sich noch ein wenig auf dem Kunstrasen. Warum eigentlich immer dieses pathetische Ende? Französischlexikon her. Ach so. *Sacre du Printemps* heißt Frühjahrsopfer.

So, das waren jetzt aber die vier Nummern, oder? Nein, waren erst drei. Wäre auch zu schön gewesen.

UMPTA! ... UMPATUMPTA! ... UMPTA IHH IHH IHH! ... IHHH! ... UMPATUMPTA!

*

Dideldum, dideldei, dideldum, dideldei.

Ich sitze in meinem klimatisierten japanischen Kompaktvan und schwebe durch die Stadt, auf dem Rücksitz eine gut bestückte Sporttasche und Walter Wanderley im CD-Player. Ahhh, das sickert so angenehm durch die verwüsteten Gehörgänge. Früher wurde diese Musik immer in Supermärkten gespielt. Immer wenn ich das höre, bin ich wieder Kind und lasse mich von meiner Mama im Einkaufswagen durch die Regalreihen schieben. Hybridmobile gab es zwar damals noch nicht, aber die Musik hatte Stil, und die Bienenkorbfrisuren waren auch tausendmal schöner als die blöden Strähnchen-Strubbelmatten, ohne die sich heute keine Hausfrau mehr unter die Leute wagt.

Ach ja, Musik. Karsten hat vorhin angerufen. Wir sollen den Proberaum leer machen. Jetzt, wo wir schon fast

ein Jahr nicht mehr geprobt haben, sei ja wohl klar, dass die Band erst mal aufgelöst ist.

Muss man die Wahrheit immer gleich so hart aussprechen? Gut, Sänger und Keyboarder fast gleichzeitig Papa geworden, Supergau für jede Band. Aber irgendwann werden die Kleinen schließlich auch erwachsen. Dann kann man sich doch wieder treffen und an die alten Heldentaten anknüpfen. Nur, wenn man jetzt einfach so ganz brutal den Proberaum ausräumt, wird das bestimmt nichts mehr. Ich bin überzeugt, dass ein Raum, in dem eine Band jahrelang geprobt hat, eine geweihte Stätte ist. Und wenn man sie erst einmal entweiht hat, wars das dann auch mit der Band. Aber vielleicht bin ich da zu sehr Esoteriker.

Und Karsten hat sogar noch einen draufgesetzt. Er hat gesagt, wenn er noch einmal in seinem Leben ernsthaft Musik machen wollte, würde er sich keine Band mehr suchen, sondern einen Laptop mit guter Soundkarte. Ich war entsetzt. Karsten war unsere Bandmutter. Er hat alles zusammengehalten, Proben organisiert, Gigs klargemacht, Bandbusse gemietet. Er ist, wenn es sein musste, als Einziger nach dem Auftritt nüchtern geblieben, damit wir noch in unsere Betten fanden, und egal, was wir auch angestellt haben, er hat uns immer alles verziehen, sogar, dass wir ihn mal bei einem Gig in Schmöckwitz beim letzten Song gepackt und samt Bass ins Publikum geworfen haben, nur um festzustellen, dass die Schmöckwitzer auch acht Jahre nach dem Mauerfall noch nicht kapiert hatten, wie Stagediving funktioniert.

Wenn Karsten jetzt so was sagt, dann kann das nur heißen, dass wir ihn abgrundtief enttäuscht haben und dass er uns verstößt. Ich bin entsetzt. Über ihn. Über mich. Und davon, dass ich jetzt Simone davon überzeugen muss, dass mein Wurlitzer E-Piano kein Technikschrott ist, sondern vielmehr eine wohnzimmertaugliche Stilikone, und irgendwie sagt mir mein Gefühl, dass das kein Spaziergang wird.

Manno. Und diese Hiobsbotschaft ausgerechnet heute, an dem Tag, an dem ich im Supermarkt meine Stimme entdeckt habe.

Ach ja. Eigentlich ist jetzt eine einmalige Gelegenheit, das noch mal unter Laborbedingungen zu testen. Was gibt das CD-Fach zum Mitsingen her? Best of ACDC. Bingo. Räusper.

'COS I'M TNT,

I'M DYNAMITE,

TNT,

I'LL WIN THE FIGHT

Wow. Gegen mich kann Angus Young glatt einpacken.

TNT ...

Shit. Kaum hat man sich mal warmgebrüllt, muss man schon wieder aufhören. Becker steht da, wo er immer um diese Zeit steht, und wartet, dass ich ihn aufsammle. Eigentlich ein Witz. Seit Jahr und Tag kutschiere ich ihn zum Fußball, nur weil seine Wohnung auf meinem Weg liegt und nicht umgekehrt. Eines Tages werde ich einfach an ihm vorbeifahren. Oder über ihn drüber.

»Markus, was für ein flotter neuer Flitzer. Ich staune.«

Halt doch einfach die Klappe, Wixfrosch.

»Und was ist aus deinem Kultgolf geworden?«

»Mein Kultgolf ist jetzt ein Sonderangebot bei Gebrauchtwagen Gadonske, vermute ich mal, aber Genaues weiß ich nicht.«

»Nun ja, dann wollen wir uns mal wieder der Kugel widmen, was?«

Dafür, dass Becker seit zwei Wochen Papa ist, hat er irgendwie viel zu gute Laune. Und seine Augenringe könnten auch ruhig stärker sein.

»Sag mal, Markus, ich weiß ja nicht, wie das bei euch war, aber unser Fritz-Bertram ist ein Traumkind. Schläft schon seit zehn Tagen perfekt durch. Ich bin echt begeistert.«

Fritz-Bertram.

Er hat wirklich Fritz-Bertram gesagt. Sonst bei jeder Gelegenheit den hypersensiblen Superästheten raushängen lassen, aber das Kind Fritz-Bertram nennen.

»Und die Windeln. Die stinken ja wirklich noch gar nicht bei so einem kleinen Wicht. Hätte ich mir vorher nie vorstellen können. Aber bei Daniel ist das jetzt wohl schon ganz anders, was?«

»Nun ja, wenn du es genau wissen willst, ich unterscheide zwischen vier Stinkstufen, je nach Verdauungslaune:

Stufe 1: ›Iih!‹

Stufe 2: ›O nein!!‹

Stufe 3: ›O mein Gott!!!‹

Stufe 4: ›Ich möchte nicht darüber sprechen …‹«

»Köstlich, Markus, du bist wirklich köstlich.«

Ich muss jetzt schnell eine Entscheidung treffen. Wenn ich Vollgas gebe und das Auto mit der rechten Seite an den S-Bahn-Brückenpfeiler da vorne setze, würde dann nur Becker zerquetscht?

Nein. Irgendwie zu riskant als Spontanaktion. Sollte ich lieber vorher üben.

Wir sind da. Parkplatz gesucht und rein in die Umkleide. Becker hin oder her, jetzt kommen die zwei schönsten Stunden der Woche. Fünf gegen fünf, ein Ball, zwei Tore. Muss ich mehr sagen?

Beim Mannschaftenbilden achte ich darauf, dass Becker im anderen Team ist. Gut, es ist nicht mehr so leicht wie früher, ihm den Ball abzunehmen. Und er ist schnell. Kein Wunder, bei seinen nur knapp 65 Kilo. Aber das Gute ist, wenn so ein Fliegengewicht erst mal Reisegeschwindigkeit erreicht hat, braucht man es nur ganz leicht antippen, und es gerät mächtig ins Trudeln. Nicht, dass ich Becker jeden Montag auf die Bretter schicke, aber ich glaube, heute muss es einfach mal wieder sein.

Und schon geht es los. Aufwärmen ist was für Spießer. Sofort tobt ein Kampf, als wäre das hier die Schlacht um Troja. Becker hat sich den Ball geschnappt und startet. Meine Chance. Jetzt schräg von vorne antraben, so langsam, dass er glaubt, er kommt locker vorbei, dann im richtigen Moment die Hüfte rausgedrückt – und zack! Was für eine Flugbahn …

Von wegen. Heute nicht. Becker rennt fröhlich vorbei, zieht nach innen und macht sein Tor. Was war denn das jetzt gerade? Gut, ich habe durchaus eine Art Sportlergewissen, aber ich habe nie ein Problem damit gehabt, es kurz in die Pause zu schicken, wenn es darum ging, Becker in die Umlaufbahn zu hebeln. Warum zum Teufel habe ich gerade eben einen Rückzieher gemacht?

Ich glaube, ich weiß es nur zu gut. Ich kann einfach nicht böse zu einem anderen Papa sein. Bei Tieren gibts das irgendwie auch. Beißhemmung unter Artgleichen oder so ähnlich. Zu schade. Nie wieder werde ich das herrliche Krachen genießen können, wenn Becker neben mir auf dem Hallenboden aufschlägt. Muss eben doch der Sandsack her.

»Simone, ich habe mir überlegt, dass unser Wohnzimmer viel interessanter aussähe, wenn wir mein Wurlitzer E-Piano reinstellen und dazu einen Sandsack aufhängen.«

Das wird ein Spaß.

5 Eine Stunde

»Ich mach den Wutz mim Thermometer steif.«

Okay. Ganz ruhig. Ich bin allein mit Daniel im Badezimmer, der Vorhang ist zugezogen und niemand sieht, was Daniel hier gerade mit dem Fieberthermometer macht. Ich sollte einfach nur besser aufpassen, was ich neben dem Wickeltisch liegen lasse. Komm, gib es her. Schluss mit den Faxen.

Heute bin ich ein wenig bedrückt. Nicht wegen der 7:6-Niederlage gegen Beckers Mannschaft vorgestern. Nein, das hab ich verdaut. Heute ist es etwas anderes. Neid. Ein ungutes Gefühl. Zerfrisst einen von innen. Sollte man eigentlich gar nicht zulassen. Vor allem wenn es Neid auf Leute ist, mit denen man sich nicht messen kann. Brad Pitt, Gunter Sachs, Zinedine Zidane. Aber genau da liegt heute mein Problem. Meine zuverlässige Pitt-Sachs-Zidane-nicht-Neid-Methode bestand immer darin, an Woody Allen zu denken. So irgendwie, *okay, du bist nicht Brad Pitt, aber du bist auch nicht Woody Allen. Also entspann dich. Hätte alles viel schlimmer kommen können.*

Seit gestern Abend geht das nicht mehr. Frau Baumer hat netterweise auf Daniel aufgepasst, und ich war mit Simone im Kino. Solange wir kein Kind hatten, war Kino für uns ja mehr so ein überstrapazierter Lückenbüßer gewesen: Man war zu alt für jedes Wochenende Party, aber zu jung, um zu Hause zu bleiben. Was macht man also? Kino. Es gab Zeiten, in denen uns nicht einmal der abseitigste kirgisische Avantgardefilm entgangen ist. Seit Daniel da ist, können wir aber schon froh sein, wenn wir einmal im Quartal einen Blockbuster mitnehmen.

Haben wir also gestern *Matchpoint* angeschaut. Nur gute Kritiken, begeisterte Freunde und, nun ja, Scarlett Johansson war auch dabei. Mit Nacktszene. Man hat natürlich nicht wirklich was gesehen. Hab ich auch nicht erwartet. Da hätte ich der ganzen Angelegenheit schon als Regisseur beiwohnen müssen.

Und wumm – da traf mich auch schon der Hammer der Erkenntnis. Regisseur: Woody Allen. Sofort habe ich angefangen, darüber nachzudenken, welche Damen dieser abgefeimte Trickser alle schon rein beruflich nackt gesehen hat, und jetzt steht Woody Allen fast ganz oben auf meiner Neidliste.

Aber sonst ist alles gut. Seit drei Tagen steht mein Wurlitzer E-Piano im Wohnzimmer. Ich hatte Glück. In der neuen *Schöner Wohnen* war wieder mal so eine Angeber-Fabrikloft-Fotostrecke. Irgendein Ex-Major-Label-Chef hat sich seinen 200-qm-Industriecharme-Palazzo mit alten Plattencovern und hochglanzpolierten Vintage-Instrumenten dekoriert. Und, welch Zufall, ein Wurlitzer war auch dabei. Jede Wette, dass dieser Sack noch nicht einmal *Alle meine Entchen* fehlerfrei in die Tasten tippen kann, aber egal. Ich hatte mit einem Schlag das beste Wurlitzer-im-Wohnzimmer-Argument, das ich mir wünschen konnte. Natürlich musste ich alle fünfunddreißig Schichten Proberaumschweiß und eingetrocknetes Bier gewissenhaft abwischen und das Ding drei Tage auslüften, bevor Simone bereit war, es in die Familie einzugliedern. Aber jetzt kann ich schön herumklimpern und von alten Zeiten träumen, wenn sie Daniel abends ins Bett bringt.

Außerdem soll es heute einen ersten Vorgeschmack auf die ersehnte Kindergartenzeit geben. Ich darf Daniel seine Erzieherin und seinen Gruppenraum zeigen, und wenn es ihm gefällt, darf ich ihn auch gleich für eine Stunde dortlassen.

Ich finde das herrlich, sich so schrittweise an das Glück heranzutasten. Erst mal eine Stunde in Ruhe allein was machen können, quasi als Einstiegsdroge. Dann zwei, dann vier ... O mein Gott, man muss wirklich schön langsam anfangen, sonst bekommt man einen Rausch.

KLONG! KLONG!

»Nein! Nicht das Klavier hauen. Nur ganz vorsichtig drauf spielen, verflixt noch mal.«

Ich weiß nicht, wie viele Wurlitzer E-Pianos es überhaupt noch auf der Welt gibt, aber wenn ich nicht aufpasse, wird es bald eins weniger sein.

»Komm jetzt, wir müssen los.«

Wir sind um zehn mit der Gruppenleiterin verabredet. Ausgerechnet jetzt zickt Daniel herum. Ich brauche geschlagene fünf Minuten, bis die Sandalen an den Füßen sind. Blöde Nostalgiedinger mit Schnallen statt Klettverschluss. Geschenk von den Großeltern.

»Aber ich will mim Bobby-Car in das Kindergarten fahrn.«

Den Gesichtsausdruck kenn ich. Das ist die Okay-ich-spiel-dein-Spiel-und-du-spielst-meins-Nummer. Keine Chance, den autoritären Durchsetzer raushängen zu lassen, außer man will einen XXL-Eklat. Nein, heute lieber nicht. Wir ziehen mit Bobby-Car los.

Wenn ich mich vorhin beklagt habe, dass das Laufrad zu schnell ist – für das Bobby-Car gilt das Gegenteil. Es ist genauso lahm, wie es laut ist. Ich träume davon, dass endlich mal jemand ein Kinderfahrzeug erfindet, das in normaler Papafußmarschgeschwindigkeit brav neben mir dahinzuckelt und dem Fahrer freundlich mahnende Stromstöße verpasst, sobald es mehr als drei Meter vorprescht oder zurückhängt.

Wir kommen natürlich zu spät.

»Können Sie mir sagen, wo Gruppe drei ist?«

»Dritte Tür rechts.«

Ich kann mich nicht mehr genau an meinen ersten Schultag erinnern, aber ich glaube, ich bin genauso aufgeregt. Hoffentlich ist die Gruppenleiterin nett.

»Hallo, ich bin Claudia. Und das hier ist bestimmt der kleine Daniel?«

O ja, sie ist nett. Ich bin kein Menschenkenner. Bei mir reicht ein Lächeln, um mich übers Ohr zu hauen, und ich würde mir von jedem Kreisklasse-Pokerspieler das letzte Hemd ausziehen lassen. Ich kann aber irgendwie todsicher erkennen, ob jemand Kinder mag. Muss so ein angeborener Papainstinkt sein. Claudia mag Kinder über alles, sie wollte nie etwas anderes werden als Erzieherin, und sie wird Daniel gut behandeln, auch wenn er noch so nervt. Ich weiß es, und ich bin glücklich.

Daniel hat sich hinter mich gestellt und sein Gesicht in meiner rechten Pobacke vergraben. Die alte Hasch-mich-ich-bin-schüchtern-Nummer. Zieht immer wieder. Claudia lockt ihn mit Engelszungen, und die anderen Kinder stehen auch schon im Kreis um uns herum.

»Soll ich dir mal unsere Ritterburg zeigen?«

Nach ein paar Minuten kommt Daniel langsam aus der Deckung und lässt sich tatsächlich langsam von Claudia an der Hand zur Ritterburg führen. Sie schaut über die Schulter zurück und bedeutet mir, dass ich verschwinden soll.

Wie jetzt? Einfach so?

Ich meine, ich träume seit Monaten von so was, aber ich kann doch jetzt nicht einfach … Nein, sie meint es

ernst. Ich soll verschwinden. Sie guckt schon etwas genervt. Na gut. Ich gebe mir einen Ruck und verschwinde aus dem Gruppenraum. Langsam und nachdenklich schreite ich auf die Ausgangstür zu und komme mir schäbig vor. Aber das hat wohl alles so seine Richtigkeit, versuche ich mich zu beruhigen, als ich die Klinke herunterdrücke.

Da! Daniel schreit.

Ich höre ihn durch alle Türen durch. Jetzt hat er kapiert, was los ist. Nein, das halte ich nicht aus. Sofort kehrtgemacht und im Laufschritt zurück. Er ist einfach noch zu klein.

Die Kindergartenleiterin erscheint aus dem Nichts und hält mich fest.

»Machen Sie das nicht. Geben Sie den beiden eine Chance, sich aneinander zu gewöhnen.«

Strenger Blick. Widerstand zwecklos. Ich gehe raus und setze mich auf eine Bank. Selbst hier kann ich ihn noch schreien hören. Das wollte ich nicht. Es zerreißt mir das Herz.

Die Kindergartenleiterin schaut aus dem Fenster.

»Machen Sie es sich nicht unnötig schwer, Herr Heisenkamp. Gehen Sie doch eine Stunde spazieren. Wir haben ja Ihre Handynummer für den Notfall.«

Notfall? Hallo? Er brüllt wie am Spieß. Wie definiert sie Notfall? Ich sehe, dass sie am Fenster geblieben ist und darauf wartet, dass ich den Schuh mache. So was von abgebrüht. Wahrscheinlich hat sie das schon mit tausend Mamas und Papas durchgehechelt. Immer das Gleiche. Kind kommt, Mama/Papa geht, Kind schreit. Alles ganz normal. Wahrscheinlich hat sie recht. Hoffentlich hat sie recht.

Ich stehe langsam auf, nehme das Bobby-Car und trolle mich. Meine Füße entscheiden sich für irgendeine

Richtung, und mein Körper folgt. Es ist heiß geworden. Ich könnte etwas trinken, aber meine Psyche hat sich offenbar für Laufen als Bewältigungsstrategie für das eben Durchlebte entschieden. Ich laufe. Mal rechts abbiegen, mal links. Ich kenne die Straßen, aber heute haben sie nichts mit mir zu tun. Ich laufe in einer Glaskugel, Blick geradeaus und das Bobby-Car-Lenkrad in der Hand. Warum habe ich es überhaupt mitgenommen? Ich hätte es vor dem Eingang stehenlassen können. Jetzt schlackert es mir gegen die Beine und macht mir blaue Flecken. Ich sehe immer wieder auf die Uhr, aber nicht einmal der Sekundenzeiger kommt einigermaßen flott voran. Irgendwie möchte ich das Bobby-Car an mich drücken. Was ist mit mir los?

Ich müsste schwitzen, aber meine Glaskugel hält den Sommer draußen. Neben mir bleibt eine Straßenbahn stehen. Ich steige ein. Was soll ich sonst tun? Drei Stationen fahren und dann zu Fuß wieder zurücklaufen. Vielleicht ein gutes Programm, um die Zeit rumzukriegen. Die Kastanienallee zieht vorbei. Drei Stationen sind zu viel. Lieber nur zwei. Ich steige an der Ecke Zionskirchstraße aus. Die alte Zionskirche schaut zwischen den Häusern heraus und verspricht Ruhe. Ich gehe langsam an ihr vorbei und nehme das Bobby-Car auf die Schulter, weil mein Arm weh tut.

Soll ich noch die Veteranenstraße runterlaufen? Die Uhr ist immer noch kaum vorangekommen. Also ja. Die Veteranenstraße ist nicht besonders lang, aber dafür wahrscheinlich die abschüssigste Straße der Stadt. Früher habe ich sie immer mit der Invalidenstraße verwechselt. Kann auch leicht passieren, weil die Invalidenstraße einfach die Fortsetzung am unteren Ende der Veteranenstraße ist. Aber eigentlich ist es doch ganz einfach: Veteranenstraße mit Steigung, Invalidenstraße

flach. Die wackeren Veteranen kommen den Berg noch hoch, die maladen Invaliden hingegen nicht mehr.

Abschüssige Straße und Bobby-Car. Hm, ich glaube, ich kann nicht widerstehen. Ich mache es mir, so gut es geht, auf dem roten Flitzer gemütlich, strecke die Beine nach vorne in die Luft und fange an zu rollen. Weit werde ich nicht kommen. Zu schlechter Bürgersteig, zu viele Hindernisse. Wahrscheinlich bleibe ich bei der ersten Hofeinfahrt zwischen den Kopfsteinen hängen.

Rumpel, Krach.

Nein, ich rolle weiter. Über Schlaglöcher, unter einem Baugerüst hindurch, um einen Hund herum. Jetzt kommen die Cafés mit ihren Sesseln und Stühlen auf den Bürgersteigen. Hier werde ich wohl irgendjemand oder irgendetwas rammen. Kein Problem. Ich bin nicht schnell. Ist ja nur ein Bobby-Car. Wird einen guten Lacher geben. Ich schlängele mich so gut ich kann durch die Lücken zwischen den Tischen und Beinen. Die Lacher kommen. Für ein paar Sekunden bin ich der Star.

»Was war denn das?«

»Das war ein Bobby-Car.«

Diese Stimme. Ich drehe mich um.

Tante Hilda.

Tante Hilda hier? Die Veteranenstraßencafés sind doch mehr das Land der Werbeagenturpraktikanten und sonstigen Möchtegerns und nichts für Leute, die es wirklich geschafft haben. Sie sitzt mit drei jungen Fotomodellen am Tisch und winkt. Ich winke matt zurück und sehe zu, dass ich weiterkomme.

Aber es ist in Ordnung. Wirklich. Tante Hilda gehört zu den wenigen Leuten, in deren Ansehen man steigt, wenn man auf einem Bobby-Car die Veteranenstraße herunterfährt.

*

Nach gefühlten fünf Stunden ist die eine Stunde Kindergartentestzeit vorbei. Ich sause auf den Eingang zu. Nichts zu hören. Daniel hat also aufgehört zu schreien. Aber das heißt gar nichts. Wahrscheinlich hatte er nach einer Viertelstunde keine Kraft mehr und sitzt jetzt wimmernd auf Claudias Schoß. Wir werden ein Eis essen gehen. Dann wird vielleicht alles wieder gut. Ich gehe den Flur entlang. Die Kindergartenleiterin sieht mich und grinst. Ich klopfe und öffne die Tür zum Gruppenraum. Daniel liegt in der Ecke auf dem Boden. Zwei größere Mädchen knien daneben und machen irgendwas mit ihm. Halt durch, ich komme!

»Daniel! Alles klar mit dir?«

Er hört mich gar nicht. Claudia zupft mich am Arm und hält beide Daumen nach oben.

»Sie spielen Vater, Mutter, Kind. Schon seit einer halben Stunde. Jetzt gucken sie nach der Windel.«

Ach so. Doch kein Folterspiel. Gut.

Daniel dreht den Kopf und sieht mich. Mein geliebter kleiner dritter Planet. Ich beginne allmählich zu ahnen, wie sehr ich herumeiern würde, wenn du unser Sonnensystem auf einmal wieder verlassen würdest.

»Na, Dicker? Wie wärs mit einem großen Eis?«

»Nein, du sollst noch mal weggehn!«

*

Simone bringt Daniel ins Bett. Ich sitze vor der Tagesschau, aber ich höre nicht hin.

Du sollst noch mal weggehn.

Das hat gesessen. Aber da muss ich mit klarkommen. Ist ja gut, wenn die Kleinen auch irgendwann mal flügge werden. Hat nichts mit mir zu tun, oder? Ich muss an was anderes denken. Meine Feelgoood-Präsentation steckt immer noch in den Anfängen. Wenn ich nicht bald den Hintern hochkriege, kommen womöglich noch andere auf die gleiche Idee. Ich mache das irgendwie falsch. Ich muss erst mal einen Brief schreiben. Nur ein paar Sätze. »Es geht um Gefühle«, und dann noch zwei, drei Andeutungen, die das Projekt in die Nähe von eBay und Amazon rücken. Das schicke ich dann an alle Venture-Capital-Gesellschaften, die ich im Internet finden kann. Und sobald die erste mich dann einlädt, schraube ich wie der Blitz die Präsentation zusammen. So geht das.

»Die Lage im Nahen Osten bleibt angespannt. Nach der jüngsten Anschlagserie …«

Was mich viel mehr beunruhigt, ist die Lage im nahen Westen. Mein geliebter Bruder Hubert hat aus heiterem Himmel beschlossen, sich mit seiner Freundin Dörte zu verloben. Kann ja eigentlich sehr nett werden, so eine Verlobungsfeier. Aber ausgerechnet mit dieser blassen, verhuschten Dörte? Außerdem muss es dabei natürlich wieder zwanghaft unkonventionell zugehen. *Strictly Rock 'n' Roll* steht auf der Einladung. Da werden wir im Endeffekt dreimal länger über unsere Garderobe nachgrübeln müssen als bei Tante Ernas goldener Hochzeit. Aber vielleicht kann ich noch irgendwo einen Grippevirus für mich klarmachen.

»Jan Ullrich widersprach heute erneut allen gegen ihn gerichteten Dopingvorwürfen. In einem Interview mit …«

»So, jetzt schläft er endlich.«

Simone wirft sich zu mir aufs Sofa. Endlich. Zeit für uns. Jetzt an nichts mehr denken, was irgendwie anstrengend ist oder schlechte Laune macht. Einfach nur zu zweit sein und im Hinterkopf das beruhigende Gefühl haben, dass man sich um den Dritten gerade keine Sorgen machen muss. Ich mag die Tagesschauschlussfanfare. In den Siebzigern war sie zwar noch schöner, so mit Querflöten am Ende, aber die neue ist auch okay.

Fernbedienung. Oh, ein alter Münsteraner Tatort im Dritten. Wie schön. Simone legt den Kopf auf meinen Bauch. Daniel, wag es bloß nicht, jetzt noch mal aufzuwachen.

»Ach Markus, geht mir nur gerade so durch den Kopf, weißt du eigentlich schon, was du zu Huberts Verlobung anziehst?«

6 Flupsiland

Heute Regen ohne Pause. Als Großstadtpapa kann ich das gelassen sehen. Der Landpapa hat da ein viel größeres Problem. Bei Sonne ist er immer fein raus mit seinem kleinen Privatspielplatz in seinem Einfamilienhausgarten. Aber wenn es regnet, ist er eine ganz arme Sau. Dann schaut er durch sein besprenkeltes Wohnzimmerfenster, sieht, wie die Rinnsale vom Schaukelbrett tropfen und der Sandkasten sich in einen Minipazifik verwandelt. Dabei tätschelt er dem kleinen Racker, der quengelnd an seinem Hosenbein hängt, den Kopf und fragt sich, wie um alles in der Welt er diesen Tag bloß rumkriegen soll.

Der Großstadtpapa blättert dagegen ganz entspannt alle 150 Drinnen-Bespaßungsmöglichkeiten in seinem Kopf durch und pickt sich die besten heraus. In Berlin gibt es Kindercafés, Kindertheater, Kindermuseen, Kinderbauernhöfe, Kinderwerkstätten, Kinderschwimmbäder, Kindersaunen und wahrscheinlich sogar Kinderfitnessstudios.

Daniel und ich treffen uns heute Nachmittag mit Greta und Frau Baumer im Indoorspielplatz Flupsiland an der Schönhauser Allee. Indoorspielplätze sind im Prinzip eine feine Sache. Nicht nur, dass der Regen draußen bleibt. Toll ist auch, dass diese Art Spielplatz richtige Wände hat und keine lumpigen halbhohen Zäune. Sprich: Das Kind saust überall herum, kann aber nicht wirklich verlorengehen. Manchmal kann man sich da sogar richtig entspannen und muss nur ab und zu pusten, wenn es mal wieder eine Beule gegeben hat.

Bevor es zum Indoorspielplatz geht, müssen wir aber noch zu Dussmann und ein Verlobungsgeschenk für Hubert und Dörte kaufen. Dussmann ist großartig. Erstens findet man in den gigantischen Buch- und CD-Gebirgen todsicher ein gutes Verlobungsgeschenk für alle Huberts und Dörtes dieser Welt, zweitens gibt es ein großes Spielzimmer mit pädagogisch wertvollen Spielsachen, Kinderbüchern und als Krönung einen phänomenalen Panoramablick auf die Friedrichstraße. Jetzt sind Kinder natürlich nicht von Natur aus Freunde des gepflegten Panoramablicks. Tendenziell interessieren sie sich eher für das Detail. Wenn der Panoramablick aber, wie hier, im Minutentakt vorbeirollende Züge und Straßenbahnen bietet, bleiben sie gerne schon mal für ein paar Stunden an der Scheibe kleben.

Also, einmal die Kulturkaufhausrolltreppe hoch, zweimal rechts abgebogen und schon sind wir da. Mal sehen, ob ich Glück habe. Rechts vorne eine erschöpfte Mama mit hungrigem Baby und heulendem Kleinkind, das gerade auch was vom Babyessen abhaben will. Nein, die scheidet schon mal aus. In der Mitte sitzt ein strumpfsockiger Papa an die Wand gelehnt und liest den neuen Wladimir Kaminer, während sich sein Fünfjähriger beneidenswert still mit dem Arrangieren von Stofftieren beschäftigt. Auch nichts.

Aber hier: Gutgelaunte Mama spielt mit fröhlichem Blondschopf Riesenpuzzle. Los, Daniel, dein Einsatz. Lach sie an.

Nein, erst mal Züge gucken. Na gut. Das ist ein ICE, das ist ein Regionalexpress, das ist eine S-Bahn, das ist noch ein Regionalexpress, und das ist eine Straßenbahn, und jetzt ist aber genug.

»Guck mal, der spielt Riesenpuzzle. Das darf nur der. Du nicht.«

»Ich will aber auch Riesenpuzzle spielen.«

Na also. Einmal kurz die Mama angelächelt.

»Er kann ruhig mitspielen. Na komm, wie heißt du denn?«

Fünf Minuten später ist Daniel dermaßen in das Riesenpuzzle vertieft, dass er nicht einmal hochsähe, wenn jetzt ein ICE durch die Scheibe bersten würde. Ich nehme die Mama beiseite.

»Sagen Sie, könnte ich mal kurz für zehn Minuten verschwinden? Wissen Sie, ich muss noch ein Verlobungsgeschenk für meinen Bruder ...«

»Aber natürlich. Die spielen doch gerade so schön. Ich passe schon auf.«

Klappt wie am Schnürchen. Ich verschwinde.

So. Wo steht das Verlobungsgeschenk? Irgendwie zieht es mich zu den Filmbüchern.

Modern Divas.

Ein Prachtbildband. Wow, 68 Euro. Nur mal kurz gucken. Nein, Scarlett Johansson ist noch nicht drin. Hoffnungslos veraltet, der Schinken. Ich brauche was anderes. Ich schlendere um die Bildband-Präsentationstische herum.

Manni Burgsmüller – Ein Leben für Borussia Dortmund.

Nein, muss schon auch was für Dörte sein.

Stopp. Hier ist es.

The Photostory of Rock 'n' Roll – von Gene Vincent bis Curt Cobain. Sonderangebot. Das passt perfekt. Und ein kräftiger Schuss Ironie steckt auch mit drin. Meine Herren, der Wälzer wiegt ja zehn Kilo. Egal. Ab zur Kasse.

»Könnten Sie es bitte als Geschenk verpacken?«

»Gerne. Rotes, blaues oder gemustertes Geschenkpapier?«

»Haben Sie auch was … äh … *Rock'n'Roll*iges?«

»Also hier habe ich was mit Totenköpfen. Da müssten Sie aber die ganze Rolle kaufen. Die würde drei neunzig kosten.«

Egal. Wennschon, dennschon. Allmählich fängt es an, Spaß zu machen. Noch ein kurzer Streifzug durch die Wirtschaftsbücher. Existenzgründung. Drei Regalreihen voll. Nein, da brauche ich mehr Zeit. Wenn Daniel endgültig im Kindergarten ist. Gleich am ersten Tag.

Der Kulturkaufhausglasaufzug trägt mich sanft zurück zur Spielzimmeretage. Ich schlendere mit meinem Zehn-Kilo-Totenkopfbrikett an mehreren Millionen Seiten Hochliteratur vorbei und bin nervös. Wenn Daniel jetzt wieder *Du sollst noch mal weggehn* sagt? Ich glaube, dann breche ich in Tränen aus.

Ich bin da. Vorsichtig stecke ich den Kopf durch die Tür. Kurz mal gucken, was der Kleine so treibt, wenn er sich unbeobachtet fühlt, ist so eine der kleinen Elternfreuden, von denen man nie genug bekommen kann.

Auweia, ich hätte mit allem gerechnet, aber nicht damit.

Wenn man sich in Berlin herumtreibt, bleibt es nicht aus, dass hin und wieder das ein oder andere Fernsehgesicht an dir vorbeihuscht. Meist grübelt man dann kurz, in welchem Tatort der gleich wieder den Täter gespielt hat oder ob er bei einer Daily Soap dabei war oder nur jemand aus der FDP-Bundestagsfraktion ist, und am Ende kommt man doch nicht drauf.

Aber dieser Mann, der da mit dem Kleinkind auf dem Schoß am Fenster sitzt, verflixt noch mal, den seh ich doch dauernd. Bella Block? Soko Leipzig? Lindenstraße?

Ach nein, jetzt weiß ichs, Tagesschausprecher ist der. Nur hat er kein Sakko an und spricht gerade nicht die Tagesschau. Stattdessen hat er sich mit seiner wahrscheinlich für mehrere Millionen versicherten Tagesschausprecherstimme auf ein Rededuell mit Daniel eingelassen.

Mein Sohn diskutiert im Dussmann-Kinderzimmer mit dem Tagesschausprecher. Der Tag hat sich schon mal gelohnt.

»Also ich sage mal, das ist eine S-Bahn.«

»Aber das ist keine S-Bahn, das ist ein Renalexpress.«

»Na, wenn du das sagst. Aber vielleicht, vielleicht ist das doch eine S-Bahn?«

»Das ist keine S-Bahn, du Blödkopf.«

Er hat zu unserem Tagesschausprecher *Blödkopf* gesagt.

In so einem Luxusbau wie Dussmann läuft man natürlich nicht auf nacktem Stahlbeton. Da kommt erst ein weicher Teppich, darunter ein Hohlraumboden, in dem alle möglichen Kabel verlegt sind, und dann noch eine Trittschalldämmung. Trotzdem, das mit dem Im-Erdboden-Versinken kannst du einfach vergessen.

Ich ziehe schnell meinen Kopf aus der Tür, verstecke mich hinter dem nächsten Regal und warte, bis der Tagesschausprecher von seiner Frau abgeholt wird. Vielleicht lernt man sich ja bei anderer Gelegenheit kennen.

Als die Luft rein ist, trete ich aus der Deckung und gehe Daniel holen. Schnell noch bei der Aufpass-Mama bedankt.

»Gern geschehen, keine Ursache. Sie haben aber echt was verpasst. Vor einer Minute saß hier noch einer unserer Tagesschausprecher und hat sich mit Ihrem Sohn über Züge unterhalten.«

»Nein, so ein Pech aber auch.«

»Was hast du da, Papa?«

Daniel zeigt auf mein Totenkopfbrikett.

»Das ist ein Geschenk. Für Onkel Hubert und Tante Dörte.«

»Und was sind das da auf das Papier?«

Totenköpfe.

»Ähh, das ist ... *Rock 'n' Roll.*«

»Aber ich will auch ein Rackenrohl.«

*

Kurz vor dem Indoorspielplatz geschieht es mal wieder. Daniel ist mitten in den großen hellbraunen Haufen gestiegen.

Ich will nicht wissen, was der Hund alles gefressen hat, bevor er ihn geschissen hat. Ich will auch nicht wissen, warum der Hundebesitzer zugelassen hat, dass sein Köter hier mitten auf den Bürgersteig scheißt. Ich würde einfach nur gerne wissen, dass dieser Mensch noch heute qualvoll in einer Kläranlage ertrinkt.

Ich halte die Luft an, ziehe Daniel den Schuh aus und versuche das Gröbste an einem der kümmerlichen Grasbüschel abzuwischen, die zwischen Pflastersteinen und Hauswand herausragen.

Das ist ohne Frage ein hartes Schicksal für den Büschel. Er will wachsen und stößt dauernd mit dem Kopf gegen Pflastersteine. Nach viel Mühe und Verzweiflung findet er am Ende doch eine schmale Lücke, windet sich hindurch, und kaum dass er das sauer verdiente Tageslicht erblickt hat, passiert so was. Scheißwelt.

Der Schuh ist natürlich immer noch weit davon entfernt, wieder gesellschaftsfähig zu sein, aber dieses Problem kriecht im Moment, in dem wir die Eingangstür durchschreiten, sofort in den Hintergrund.

Ich fange mal so an: Türkisfarbene Ballonseidetrainingsanzüge sind eine Geißel der Menschheit. Diese Erkenntnis hat sich inzwischen sogar in Sportlerkreisen durchgesetzt, und das will was heißen. Jetzt könnte ich trotzdem gut damit leben, wenn es *irgendein* Papa wäre, der da im türkisfarbenen Ballonseidetrainingsanzug im Indoorspielplatzeingang herumsteht und auf irgendjemanden wartet. Es ist aber nicht irgendein Papa, sondern es ist Herr Baumer. Und er wartet nicht auf irgendjemanden, sondern auf uns.

»Hallo zusammen! Kleine Überraschung. Gisela hat leider Magenbeschwerden und konnte nicht. Da habe ich mich einfach von der Arbeit losgeeist. Na, Daniel, dann wollen wir uns mal ins Vergnügen stürzen, was?«

Daniel knutscht Greta ab. Ich sage irgendetwas und versuche den Kloß im Hals loszuwerden. Herr Baumer kräuselt die Nase.

»Was haben wir denn da? Oh, das war sicher der Hundehaufen vor dem Eingang. Greta hat ihn vorhin zum Glück gerade noch rechtzeitig gesehen.«

Wie? Ach so, ja, der Schuh.

»Wollen Sie kurz mal auf die Toilette damit? Ich passe solange auf.«

»Danke.«

Ich halte den Schuh mit der Sohle unter den laufenden Wasserhahn und sehe teilnahmslos zu, wie sich die Lage langsam bessert. Das Zeug ist zäh. Zu Hause haben wir für solche Fälle extra eine Igitt-Bürste angeschafft, mit der man der Stinkmasse wesentlich energischer zu Leibe rücken kann, aber ich bin mir gar nicht sicher, ob ich diesen Vorgang hier wirklich beschleunigen will. Schließlich weiß ich, dass auf der anderen Seite der Toilettentür Herr Baumer auf mich wartet. Zehn Liter und zwanzig Papierhandtücher später ist der Schuh so sauber, dass ich ihn in einen Operationssaal mitnehmen könnte. Keine Chance auf weitere Verzögerungen. Ich gebe mir einen Stoß, atme tief ein und gehe raus.

»Guck mal Papa. Ich hab schon wieder einen ganz großen Popel. Hab ich dem Gretapapa gezeigt.«

»Gut gemacht.«

So ein Indoorspielplatz hat drei Zonen. Eine für Ein- bis Dreijährige, eine für Vier- bis Sechsjährige und eine für Eltern. So weit zumindest die Theorie. Die Realität sieht anders aus: Alle sind in der Zone für die Vier- bis Sechsjährigen. Die Ein- bis Dreijährigen, weil sie ein dreidimensionales Kletterlabyrinth mit Bälleschwimmbecken, Rutschröhren und Hindernisparcours viel interessanter finden als Puppenhäuser und Kuschelecken, und die Eltern, weil sie aufpassen müssen, dass ihre Ein- bis Dreijährigen nicht von den Vier- bis Sechsjährigen erdrückt, erschubst oder an die Wand geworfen werden.

So kommt es, dass ich ein paar Minuten später mit Herrn Baumer in der dritten Etage des gigantischen Kletterkäfigs in einem Bällepool sitze und die Beine langmache. Würde man sich die Kinder wegdenken und die Bälle durch Chlorwasser ersetzen, hätte die Szene etwas von Kururlaub in Bad Füssing, aber bevor ich mit Herrn Baumer nach Bad Füssing fahre, bin ich zugegebenermaßen doch wesentlich lieber hier.

Daniel und Greta benutzen unsere Köpfe als Ballwurfzielscheiben. Das ist in Ordnung. Erstens können sie noch nicht so fest schmeißen, dass es weh tut, und zweitens ist Zielscheibe im Bällepool spielen nicht so anstrengend wie über den Hindernisparcours zu kriechen. Gegen den Hindernisparcours ist das, was wir hier machen, schon fast pure Meditation. Daliegen und spüren, wie kleine Bälle auf dem Kopf aufschlagen.

Pock, pockpock, pock, pock.

Herr Baumer bespricht mich, aber das stört meine Versunkenheit nicht. Ich beschäftige mich in bester buddhistischer Tradition mit Mantras, unlösbaren Fragen, die sich angeblich von selbst auflösen, wenn man lange genug darüber meditiert.

Warum kennen Leute wie Herr Baumer nur zwei Variationen, sich zu kleiden: Anzug oder Jogginganzug?

Pock, pock, pockpock, pock.

Warum werde ich das Gefühl nicht los, dass wir Daniel betrunken auf der Toilette im 103 Club gezeugt haben?

Pock, pockpock, aua, mein Auge, pock.

Warum muss ich bei jeder Gelegenheit an Daniels Kopf schnüffeln, auch wenn er mir noch so sehr auf den Sack geht?

Pock, pock.

Ein kleines Mädchen hält mir einen Luftballon hin.

»Kannst du mir den aufpupen?«

Ich weiß nicht, ob ich das könnte, aber irgendwie will ich es auch nicht versuchen. Aus den Augenwinkeln sehe ich, wie Greta sich dünnmacht und Daniel ihr hinterherkrabbelt.

»Okay, Herr Baumer, bis jetzt war es nur Spaß. Jetzt wird es ernst.«

Ich wühle mich durch die Bälle und sehe gerade noch, in welchem Tunnel die beiden verschwinden.

»Ernst? Wie meinen Sie das, Herr Heisenkamp?«

Wie ich das meine? Naivling. Hat dich deine Frau nicht über den Hindernisparcours aufgeklärt? Als Erstes kommt die schräge Ebene mit dem über den Boden gespannten Seilgitter. Für die Kleinen ist das in Ordnung, weil sie mit ihren Füßen in die Maschen passen. Wir Großen müssen dagegen mit Händen und Füßen auf dem Seilgitter krabbeln wie Spinnen in ihrem Netz –

nur dass einer Spinne das Netz vermutlich nicht so weh tut wie uns dieses elend hart gespannte Kunststoffseil, das sich in unsere bestrumpften Fußsohlen eindrückt wie ein Prägestempel in weichen Siegellack. Ich habe ja schon ein wenig Übung, aber Herr Baumer kommt kaum vom Fleck.

»Los, los, die beiden sind schon fast oben.«

»Ich glaube, ich hänge fest, Herr Heisenkamp.«

Tatsächlich. Eine seiner dämlichen Jogginganzugkordeln hat sich im Seilgitter verheddert, und er hängt gerade so unglücklich im Gewirr, dass er nicht rankommt. Ich stöhne und krabble ein gutes Stück Weg, von dem ich eigentlich froh war, dass ich es schon bewältigt hatte, zurück. Die Befreiungsaktion dauert nur ein paar Sekunden, aber das waren ein paar Sekunden zu viel.

»Sie sind weg!«

Herr Baumer hat recht. Die beiden sind oben angekommen und in der nächsten Röhre verschwunden. Über uns, unter uns, von allen Seiten hören wir dumpfes Rumpeln und Kinderurschreie. Die ganze Konstruktion schwankt von Stößen geschüttelt hin und her wie die Andrea Doria im Orkan.

»Was kommt da oben?«

Herr Baumer ist wirklich unruhig.

»Die Heißmangel.«

»Um Himmels willen!«

Okay, es ist natürlich nicht wirklich eine Heißmangel. Es sind zwei gepolsterte Walzen, die von starken Federn zusammengepresst werden und den Eingang zur nächsten Höhle versperren. Sieht so ähnlich aus wie eine Heißmangel, ist aber natürlich nicht heiß. Wenn man klein, schlank und geschickt ist, kann man zwischen den Rollen durchschlüpfen. Wenn man groß und nicht so schlank ist, kann man sich mit roher Kraft

und einer gehörigen Portion Todesverachtung ebenfalls durchpressen. Meist ist man danach etwas dünner und etwas länger.

Herrn Baumer habe ich jetzt natürlich einen Riesenschreck eingejagt. Unglaublich, wie schnell der Mann über das Seilgitter kraxeln kann, wenn er glaubt, dass er muss. Soll er ruhig. Dann kann ich mir ein wenig mehr Zeit lassen. Notfalls wird er die beiden schon allein durch die Heißmangel bugsieren. Ich mache wieder die altersschwache Spinne und ziehe mich Zentimeter für Zentimeter nach vorne.

Jetzt wird ja von modernen Menschen erwartet, dass sie sich schnell auf neue Situationen einstellen können. Finde ich prinzipiell auch in Ordnung, und spätestens seit Daniel auf der Welt ist, bin ich sowieso der Mister Neue Situation aller Klassen. Wie ein junger Frosch von Seerosenblatt zu Seerosenblatt hüpfe ich fröhlich von neuer Situation zu neuer Situation, und welches neue Bild sich auch immer vor mir auftut, mich bringt so schnell nichts aus der Ruhe. Gucken, analysieren, handeln – wenn es sein muss, in Sekundenbruchteilen.

Also, was haben wir hier?

Herrn Baumers Beine ragen aus der Heißmangel. Er kommt weder vor noch zurück. Hinter der Plexiglasscheibe, durch die man in den nächsten Raum schauen kann, sehe ich, dass Daniel etwas Spitzes in der Hand hat und damit vor Gretas Gesicht herumfuchtelt.

Erster Lösungsansatz: Kontakt mit Daniel aufnehmen. Ich brülle durch die Scheibe. Na bitte. Plexi ist gar nicht so schallundurchlässig, wie alle immer denken. Er hört mich.

»Daniel, komm sofort her!«

Er kommt an die Scheibe.

»Guck ma, ich hab hier ein Kindermesser.«

Mist. Eine Nagelfeile. Muss wohl irgendeiner Mama aus der Handtasche gefallen sein.

»Ich mach ein Säbeltanz.«

Säbeltanz. Das hat er aus dem Nußknacker-Ballett. Leider ist der Säbeltanz eher temperamentvoll, und leider findet Daniel nach wie vor, dass man Säbeltänze am effektvollsten wenige Zentimeter vor dem Gesicht eines kleinen Mädchens aufführt.

Alternativer Lösungsansatz: Herrn Baumer mit Gewalt vollständig durch die Heißmangel schieben. Ich schnappe mir seine Beine und drücke. Keine Chance. Das Problem bei Herrn Baumer ist nicht sein Bauch, sondern sein Becken. Da hat er sich nämlich das breiteste ausgesucht, das in Abrahams Genpool zu kriegen war. Dachte wohl: Nehm ich einfach mal das breiteste. Weiß zwar nicht, warum, aber ist bestimmt später mal ein gutes Gefühl, ein breiteres Becken als mein Nachbar zu haben.

Dritter Lösungsansatz: Gibt es nicht.

Verflixt, ich habe doch schon ganz andere Bewährungsproben bestanden. Kann doch nicht sein, dass ich daran scheitere, diesen Versicherungsheinz durch die Heißmangel zu schieben. Ich reiße mir die Socken von den Füßen, damit ich nicht dauernd wegrutsche, und mobilisiere die letzten Kraftreserven. Jaaa, endlich bewegt sich was. Herr Baumer stöhnt, aber egal. Hau ruck!

Gut, Gefahr gebannt. Herr Baumer ist durch und hat sich die Nagelfeile geschnappt.

Dafür jetzt neue Situation: Herr Baumer hat untenherum nur noch einen Stringtanga an, und ich stehe mit seiner türkisfarbenen Ballonseidenjogginghose in der Hand da. Die anderen Eltern gucken von allen Seiten, und etwas weiter hinten sehe ich die Geschäftsführerin

des Indoorspielplatzes hektisch in ihr schnurloses Telefon sprechen.

*

Ich will mich nicht beklagen. Dieser Nachmittag hätte noch viel unangenehmer werden können. Wenn nicht ein anderer Papa die ganze Szene beobachtet und die herbeigerufenen Polizisten mit Geduld und Einfühlungsvermögen davon überzeugt hätte, dass Herr Baumer kein Exhibitionist ist, säßen wir wahrscheinlich jetzt auf der Wache und Daniel und Greta irgendwo zur vorübergehenden Verwahrung. Ich will nur anmerken, dass ich Herrn Baumer lieber nicht im Stringtanga gesehen hätte und dass ich nie gewollt habe, dass wir uns duzen. Leider ist das ab jetzt so. Er hat darauf bestanden. Wenn man so etwas zusammen erlebt, kann man nicht mehr Sie zueinander sagen, fand er. Jetzt muss ich ihn für den Rest meines Lebens *Ludger* nennen.

Sonst ist alles in Ordnung. Der Regen schnürt sanft vom Himmel, und die Luft ist endlich nicht mehr so staubig. In einer halben Stunde ist Abendessen. Vorher sehen wir uns noch einmal ausgiebig den *Nussknacker* an. Mit Säbeltanz und allem Drum und Dran.

7 Die Gelben

Es ist so weit. Wir fahren heute zur Verlobungsfeier nach Dortmund.

»Das ist nicht dein Ernst, oder?«

»Warum nicht?«

»Das sieht so was von abgeschmackt aus.«

»Strictly Rock'n'Roll.«

»Ich will aber Hubert und Dörte kein Geschenk in Totenkopfpapier überreichen.«

»Schatz, glaub mir, ich weiß, was ich mache. Dafür darfst du bestimmen, was wir anziehen.«

Am Ende muss ich mich leider doch noch in die Klamottenfrage einmischen. Es ist ein hartes Stück Arbeit, Simone davon zu überzeugen, dass Hubert mit seinem dämlichen *Strictly-Rock-'n'-Roll*-Motto keine Fünfziger-Schmalztollen-und-Petticoat-Kostümparty meint, sondern uns einfach nur befehlen will, nichts Feines anzuziehen. Am Ende gehe ich in Jeans und Freizeithemd, und Simone leiht sich eine Latzhose von Annette aus. Zwischendrin schaut Tante Hilda vorbei, um uns mitzuteilen, dass ich mit meinem Veteranenstraßen-Bobby-Car-Ritt vor drei Tagen irgendeinen Werbeagenturfuzzi auf die Idee gebracht habe, in zwei Wochen ein großes Veteranenstraßen-Papa-Bobby-Car-Rennen zu veranstalten, und dass ich als Quasi-Erfinder auf jeden Fall starten müsse. Ganz toll. Da macht man mal in ein paar geistesschwachen Minuten irgendeinen Unsinn, und schon wittern die Herren Ideenjäger gleich den

nächsten Hype. Aber nicht mit mir. Mir reichts schon, dass ich mich dauernd öffentlich zum Löffel mache, wenn ich mit Daniel unterwegs bin.

Egal, kurze Zeit später sitzen wir glücklich im Zug und rollen westwärts Richtung Hubert und Dörte. Diesmal ist es ein Großraumwagen. Simone liest Daniel Pixibücher vor, und ich versuche das Zugmagazin mit dem Scarlett-Johansson-Cover zu ignorieren.

Nein, es geht nicht.

Es ist nur ein kurzer Artikel, eher nüchtern und keine Rede von ihren Mädels, aber dafür wieder diese Fotos. Sie scheint irgendwo zu leben, wo das Thermometer konstant auf dreißig Grad im Schatten zeigt. Ich muss auf andere Gedanken kommen. Zeitung. Sportteil. Duisburg heute auswärts gegen Schalke. Ganz harter Brocken. Könnten sie ruhig mal was drüber schreiben, aber nein, wieder mal nur Hertha- und Bayern-Artikel. Noch ein Blick in den Wirtschaftsteil. Der TecDAX kommt immer noch nicht richtig auf Touren. Kein Wunder. Sie warten auf feelgoood.com. Sobald wir wieder zu Hause sind, muss ich endlich den Hintern hochkriegen. Apropos Hintern.

»Ich glaube, hier riecht etwas ganz merkwürdig.«

»O ja, du hast recht.«

Klar hab ich recht. Ich schnappe mir Daniel und die Papatasche. Jetzt kann ich meine Scharte von der letzten Zugfahrt wieder auswetzen. Ein paar Schritte und wir sind wieder beim guten alten Behindertentoiletten-Wickel-Kombiraum. Ein Haufen giggelnder Teenagermädchen steht davor rum. Hat sich der Klassenfahrtlehrer wohl nicht rechtzeitig um Platzkarten bemüht, was?

Verflixt, ich bin ein erwachsener Mann. Ich habe Geld, ich habe den Führerschein bestanden, und ich habe Sex gehabt. Warum werde ich trotzdem immer noch rot, wenn ich an giggelnden Teenagermädchen vorbeimuss? Nichts wie rein in den Pinkelpalast und Tür zu. Kaum zu glauben, was für einen Mordseffekt diese lächerlichen drei Zentimeter Plastik und Metall haben können. Ganz egal, wer alles da draußen keinen Meter von dir entfernt rumfeixt, du kannst in aller Ruhe deine intimsten Verrichtungen vornehmen.

Ich habe alle Zeit der Welt und noch dazu so viel Platz, dass ich zwei Kinder gleichzeitig wickeln könnte. Herrlich. Ich liebe behindertengerechte Räume. So ein Standardrollstuhl braucht einfach seinen Wendekreis. Da gibt es großzügig festgelegte Mindestmaße. Wenn du die beim Eisenbahnbauen nicht einhältst, heißt es zack, Toilette nicht behindertengerecht, keine staatlichen Zuschüsse und ganz schlechte Presse. Das will kein Bahnchef. Und so fällt ganz nebenbei für unsereinen ein Wickelparadies der Sonderklasse ab. Unter diesen Umständen geht natürlich alles leicht von der Hand. Eins, zwei, drei, Po sauber und neue Windel dran und, hm, irgendwie drückt es mich jetzt auch.

»Daniel, ich muss auch mal Kacka machen. Soll ich dich zu Mama bringen?«

»Nein, ich bleib bei dir.«

Na, von mir aus. Ich habe keine Hemmungen. Zum Glück gibt es hier ja diese wunderbaren Behinderten-Haltegriffe. Da kann sich Daniel prima festhalten, damit er nicht hinfliegt, wenn der ICE-Zugführer eine süße Maus am Gleisrand sieht und in die Eisen geht.

Nun gab es da ja mal in den sechziger Jahren dieses furchtbare Unglück, bei dem drei amerikanische Apollo-Astronauten verbrannt sind. Machten gerade ganz harmlos auf der Erde Probesitzen in ihrer Raumkapsel, und plötzlich bricht ein Feuer aus. Das Verhängnis war, dass die Kapseltür nicht so gebaut war, dass man sie mal

eben schnell aufmachen konnte. Hatten sich die Konstrukteure wohl gedacht, wenn die Jungs erst mal ganz weit oben im Orbit sind, ist es keine gute Idee, die Tür aufzumachen. Die sichern wir lieber mal doppelt und dreifach ab. Nachdem aber das mit dem Feuer passiert war, haben sie natürlich nur noch Raumkapseltüren gebaut, die man jederzeit mit einem Handgriff öffnen kann, und weil Raumfahrttechnik ja immer richtungsweisend für alle übrigen Technikfelder ist, hat man ab dann auch bei allen wichtigen irdischen Türen darauf geachtet, dass man sie im Notfall immer sofort aufkriegt. Zum Beispiel so eine ICE-Behindertentoilettentür: Einmal kurz den großen grünen Knopf neben der Klinke angetippt und zack, ist sie sperrangelweit offen.

Ich finde das im Prinzip auch völlig richtig so, nur gibt es eben Situationen, in denen es Hölle und Verderben bedeuten kann, wenn auf einmal die Toilettentür aufgeht. Jetzt zum Beispiel. Ich auf dem Lokus und fünfzehn Giggelmädchen da, wo gerade noch die Tür war. Das ist kein Spaß.

Irgendwie hätte ich mir natürlich denken können, dass Daniel auf den grünen Kopf drückt, sobald meine Hosen meine Fußknöchel umschmeicheln, aber das nützt mir jetzt auch nichts mehr. Ich bin in der Klemme. Der Kleine hat so einen Schreck gekriegt, dass er den Teufel tun wird, die Tür-auf-Tür-zu-Knöpfe noch mal anzufassen, die Giggelmädchen sind zu doof, um das einzig Richtige zu tun, und ich kann untenrum nackt natürlich auch nicht weg von meiner Schüssel. Die Sekunden verstreichen gnadenlos, und nichts passiert. Ich gebe mir einen Ruck, stehe doch auf und stolpere die zwei Schritte zum rettenden Knopf. Mein Hemd ziehe ich dabei so weit wie es geht in den Schritt.

Schon komisch. Diese Mädchen giggeln über alles.

Ohne Pause, Tag und Nacht. Nur, wenn es mal wirklich was zum Giggeln gibt, wie hier Herrn Heisenkamp, der mit nacktem Hintern zum ICE-Behindertentoiletten-Tür-zu-Knopf humpelt – da sind sie dann mit einem Schlag still und gucken erschreckt. Versteh einer diese Jugend.

*

Zwei Stunden später fahren wir in den Dortmunder Hauptbahnhof ein. Diesmal stehen wir wie echte Reiseprofis mit gepackten Sachen an der Waggontür bereit.

»Guck mal Papa, ein Rackenrohl.«

»Nein, das ist ein Schild, das sagt, dass man diese Tür auf keinen Fall aufmachen soll, während der Zug fährt. Aber jetzt komm, wir müssen aussteigen.«

Da steht Hubert. Wie immer fange ich an, mein Bruderherz für einige Momente bedingungslos zu lieben. Das vertraute Gesicht, das Lachen, die Erinnerungen an unseren Grundschulpausenhof. Aber ich weiß, dass es nicht lange anhalten kann. Mit jedem Satz, den er sagt, wird mein Herz ein Grad kälter werden, bis es am Ende des Tages zu einem Eisklotz erstarrt ist, mit dem man sogar noch die Antarktis herunterkühlen könnte. Warum bist du nur so geworden, wie du bist? Kannst du nicht einfach anders sein?

»Hallo, hallo! Wow, habt ihr euch rausgeputzt, hoffentlich macht ihr euch nicht schmutzig, heute wird nämlich richtig gefeiert. Harhar. Waaas, so viel Gepäck? Ich dachte, ihr wollt nur bis morgen bleiben. Aber kein Problem, geht alles rein in unser Bluesmobil. Okay, dann will ich euch mal aufklären, was euch erwartet. Wir haben die Open-Air-Bühne vom Abrakadabra klargemacht, und da rocken heute … Na, was ist denn los,

Opa, fahr doch! ... Da rocken heute die Mezcal Beats das Haus. Nur für uns. Ach so, kennste noch nicht? Ist auch nochn bisschen ein Geheimtipp. Ham aber schon in Berlin gespielt. Müssteste eigentlich ... Ja, was ist denn? Grüner wirds nicht! ... Also jedenfalls, halt dich fest, Kalli ist der neue Schlagzeuger, kennste noch ausm Stadion vor zwei Jahren, ja genau, der Hyperdortmundfreak ... Ach so, ja, tschulljung, soll ja nicht rauchen, wenn der Kleine im Auto ist, also lange Rede, kurzer Sinn – heute Party till you puke für alle ...«

...

»... Na, wer wird denn hier dem Kleinen die Ohren zuhalten? Das ist doch noch Zimmerlautstärke. Komm, holt euch noch ein Bier, ich pass solange auf. Aber Beeilung, beim übernächsten Song muss ich an die Verlobungsringfront. Wenn ich dann nicht zur Stelle bin, bin ich noch übler abgestiegen als Duisburg am Ende dieser Saison. Kleiner Scherz, war nicht so gemeint. Also hopp, und Danielchen, du kommst mit mir. Solln wir mal den Schlagzeuger anschaun? Der ist mein Freund ...«

...

»... Waaas, ein Geschenk? Wie hochnotpeinlich. Ach, hier schau mal, Dörte, das Papier! Na, biste mal über deinen eigenen Schatten gesprungen, was, Bruderherz? Komm an meine Brust. Schade, dass Mama und Papa nicht da sind. Hab extra zwei Tage vorher Bescheid gesagt ... Was willste, Daniel, Bier? Höhö, gerne, aber da krieg ich Schwierigkeiten mit deinem Papa ... Ach so, das Papier willste. Na klar, hier nimm. Was? Rock'n'Roll? Exakt, hier ist Rock'n'Roll, bis das Dach wegfliegt. Schlaues Söhnchen haste da. Komm Daniel. Ab vor die Bühne. Tanzen ...«

...

»... Haha, das gibts doch nicht! Ahuhahahaha! Halt

mich fest Markus, ich fall gleich um. Wie tanzt denn dein Sohn? Was habt ihr denn mit dem gemacht? Ballettschule Tuntenhausen? Ach nee, wirklich? Ballett guckt der? Markus, Markus …«

*

Nein, hier ist nichts mehr zu machen. Mein Bruder und ich leben in zwei verschiedenen Galaxien, wir kreisen um verschiedene Sterne, und die Luft, die der eine atmet, ist für den anderen tödlich. Ab und zu steigen wir in eine Raumkapsel und versuchen uns zu unterhalten, aber am Ende können wir immer froh sein, dass wir die Kapseltüren mit einem Handgriff öffnen und alles wieder auf null setzen können.

Es gibt nur einen Planeten, auf dem wir uns beide wohl fühlen. Der Planet erscheint jede Woche einmal für knapp zwei Stunden und heißt Sportschau. Auch heute kommt er pünktlich. Hubert hat extra eine Verlobungsfeierpause angeordnet. Ich glaube, der Mezcal-Beats-Gitarrist hat allein eine Viertelstunde gebraucht, um seine ganzen Effektgeräte auszuschalten, aber jetzt sitzen wir alle glücklich vereint im Abrakadabra-Gastraum und gucken. Ich weiß, dass ich unter Dortmund-Fans sitze. An allen anderen Spieltagen wäre das ein Problem für einen Duisburger, aber heute spielt Duisburg gegen Schalke, und ich weiß, dass die Dortmunder meine Mannschaft unterstützen werden, als wäre es ihre eigene.

Simone ist draußen geblieben, hat sich in einen Liegestuhl gelegt und plaudert mit Dörtes Mutter. Sie macht es richtig. Nimmt das Ganze sportlich. Und überhaupt – wie entspannt sie aussieht. Wenn man bedenkt, dass NBW gerade dabei ist, fünf mittelständische Un-

ternehmen zu schlucken und man ihr letzte Woche die Federführung dafür übertragen hat. Bestimmt gibt es in ganz Deutschland keinen einzigen Manager, der sich in dieser Situation am Wochenende in Latzhosen in den Liegestuhl legen würde. Und selbst wenn – er würde dabei auf keinen Fall so verdammt sexy aussehen.

Daniel will mit Fußball gucken. Mal sehen, ob er meine kleine Vereinsfarbenkunde vom letzten Wochenende behalten hat. Ich glaube nicht, dass das Abrakadabra mein Lieblingslokal werden könnte, aber zum Fußballgucken ist es großartig. Beamer, große Leinwand, alles da. Schalke gegen Duisburg zeigen sie schon als drittes Spiel. Daniel legt sofort los.

»Die Gelben sollen nicht gewinnen, die Gelben sind böse. Die Blauen sollen ein Tor schießen. O nein, die Gelben …«

Ach, du Schreck. Moment mal, Moment mal.

»Okay, Daniel, wie soll ich dir das erklären – die Duisburger sind heute ausnahmsweise gelb. Das sind die Auswärtstrikots, verstehst du? Die, die sonst die Blauen sind, sind heute die Gelben, weil die nämlich gegen andere Blaue spielen, und weil sie die Gastmannschaft sind, müssen die andere Trikots anziehen, sonst würde man die ja verwechseln, und das wäre doch dumm, wenn …«

Hubert lacht sich schlapp. Arsch.

»Also noch mal, das ist eigentlich ganz einfach: Die Gelben sind heute eigentlich die Blauen und deswegen die Guten, und die Blauen sind die Bösen, weil das andere Blaue sind. Verstehst du? Andere Blaue! Die sollen kein Tor schießen, obwohl die blau sind und die Gelben … Ach, scheiß drauf …«

*

Es ist überstanden.

»Ihr wollt wirklich schon gehen? Jetzt lassen wir es doch erst richtig krachen.«

»Na klar, aber Daniel muss ins Bett und Simone fühlt sich nicht so wohl, und da muss ich …«

»Und ihr wollt wirklich im Hotel pennen? Bei uns ist definitiv noch eine Matratze frei. Komm, ich geb dir den Schlüssel und ich sag den Jungs, dass sie nachher leise sein sollen, wenn sie reinkommen.«

»Ach, lass mal. Wir sehen uns ein andermal. Grüß die Jungs, die Musik war der Hammer.«

Handschlag, Schulterklopfen. Daniel schläft auf Simones Arm.

»Der süßeste kleine Zwerg, den ich je gesehen habe, echt, Markus.«

Er streicht ihm sanft über seinen Kopf. Okay, ich bin dir nicht mehr böse, dass du ihm den Dortmund-Strampelanzug geschenkt hast.

Die Raumkapseltür geht auf, und wir verschwinden im All.

*

Bei Nacht aus dem neunten Stock ist sogar Dortmund schön.

»Kannst du mich mal drücken?«

»Ach, Markus, es war doch alles in allem ganz nett.«

»Ich schlafe lieber in einem hässlichen Hotel als bei meinem Bruder. Nicht normal, oder?«

»Doch. Und jetzt komm, ich will nämlich strictly Rock 'n' Roll mit dir machen.«

Und während sie lasziv einen Latzhosenträger von ihrer Schulter gleiten lässt, beginne ich dies Wort von einem Moment auf den anderen bedingungslos zu lieben.

Wieder ist eine Woche vorbei. Bilanz:

Haben		Soll	
Von Daniel erfolgreich absolvierte Kindergarten-Probetrainings:	3	Hundehaufen, in die Daniel reingestiegen ist:	4
		Hundehalter, die von mir vermöbelt wurden:	0
		Neue Beulen vom blöden Kletterschiff:	1
		Tore, die Duisburg kassiert hat:	5
		Wochenendtage, an denen Simone nicht arbeiten musste:	0,2

Und mit feelgoood.com bin ich natürlich auch noch keinen Schritt weiter. Es ist wieder Montag. Simone ist wieder weg. Ich bin wieder allein und versklavt. Aber ich sehe Licht am Horizont. Wenn alles mit rechten Dingen zugeht, ist Daniel ab nächster Woche vormittags in den erfahrenen Händen der entzückenden Kindergarten-Claudia, und ich habe – Ruhe. Also, trotz verheerender Bilanz beste Zukunftsperspektiven.

Heute habe ich die Milch nicht überkochen lassen. Und die Fahrt zum vierten Kindergarten-dran-gewöhn-Termin lief auch perfekt. Dafür ist dann, als ich die danielfreie Zeit nutzen wollte, um mich endlich mal wieder so richtig gründlich zu rasieren, mein Rasierapparat kaputtgegangen.

Mein geliebter alter Braun-Brummblock. Mitten während der Scherarbeit. Brtzl und Schluss. Und die aufsteigende Qualmwolke sagte mir überdeutlich, dass hier wirklich nichts mehr zu machen war. Deswegen sitzen Daniel und ich jetzt auf meinem Fahrrad und nehmen Kurs Richtung Saturn-Elektromarkt am Alexanderplatz. Wenn ich mich schon von Brauni trennen muss, dann will ich wenigstens eine große Auswahl beim Kauf seines Nachfolgers haben.

Ich benutze ja immer noch diesen Kinderfahrradsitz, bei dem das Kind quasi vorne auf der Stange draufsitzt. Mein Fahrradhändler schimpft zwar dauernd, dass Daniel dafür schon zu groß ist und dass ich mir gefälligst den 100-Euro-Hintendrauf-Sitz zulegen soll, aber ich liebe den Vornedrauf-Sitz. Damit habe ich Daniel beim Fahren zwischen meinen Armen, kann ihm Sachen ins Ohr sagen und dabei meine Nase an seinem Kopf reiben.

Fahrradfahren in Berlin ist natürlich immer eine Gratwanderung. Du kommst zwar einigermaßen schnell voran, aber wehe, du machst eine falsche Bewegung. Wenn du Glück hast, bist du dann nur in den Straßenbahnschienen stecken geblieben und machst einen geschraubten Salto vorwärts über den Lenker. Wenn du aber Pech hast, wirst du auch mal eben schnell zwischen einem Touristenbus und einem Baulaster zermalmt, ohne dass irgendjemand außer dir das überhaupt mitkriegt. Ich muss mich also zügeln. Zärtlichkeiten für

Daniel gibt's nur in übersichtlichen Verkehrssituationen ohne Großfahrzeugbeteiligung.

Im Moment geht leider gar nichts. Nach zwei Stunden kaltem Daniel-Entzug hätte ich zwar wirklich große Lust, mal wieder ausgiebig meine Nase in seinen Schopf zu stecken und mein Gesicht von seinen Haaren kitzeln zu lassen, aber ich fahre schon seit drei Minuten neben einem Linienbus her und starre ängstlich nach links. Immer wenn die Buswand weniger als zehn Zentimeter an meinen Lenker herankommt, denke ich ein wenig über mein Leben nach und warum ich es Tag für Tag so verantwortungslos aufs Spiel setze. Zum Glück schwankt die Buswand immer wieder im letzten Moment zurück.

Busfahrer wollen Radfahrer gerne erschrecken, aber nur ganz selten wirklich töten, beruhige ich mich, aber die weichen Knie bleiben. Ich könnte etwas abbremsen und den Bus vorbeiziehen lassen, aber hinter dem Bus droht uns ein gigantischer schmutzstarrender Schuttlastzug mit einem Fahrer, der vermutlich morgens zum Frühstück zwei Hühnchen roh mit Federn verspeist, und da ist der Bus dann doch die bessere Wahl.

»Kleihein Häschen wollt spazieren gehn
Spazieren ganz allein
Da hat's das Bächlein nicht gesehn
Und plumps, da fällt's hinein«

Na bravo. Ich kämpfe hier gegen Laster und Busse, und Daniel singt sich ein Liedchen. Das nenne ich Gemütsruhe. Da könnte selbst ein alter Zen-Meister blass werden vor Neid.

»Dahas Bächlein trugs dem Tale zu
Dort, wo die Mühle steht
Uhund wo sich ohne Rast und Ruh
Das große Mühlrad dreht«

Ach, wie putzig. Haben sie wohl gerade im Kindergarten gesungen. Hat er ja schnell gelernt.

»*Gahanz langsam drehte sich das Rad*
Drauf sprang der kleine Has
Uhund als er oben angelangt
Sprang er hinab ins Gras
Daha lief mein Häschen schnell nach Haus
Ganz nass an Haut und Haar
Dihie Mutter …

Papa, nicht anhalten, ich will weiterfahrn!«

»Ja … gleich.«

»Warum weinst du, Papa?«

»Ich wein doch … gar nicht.«

»Doch. Da, eine Träne, da.«

»Quatsch.«

»Doch, eine Träne, da.«

»Hm, ja … na gut. Also weißt du … ich hab als Kind … auch mal einen Hasen gehabt … und der … ach … egal. Kannst du mir … das Lied noch mal singen?«

Ich fahre auf dem Bürgersteig weiter. In den folgenden Minuten komme ich dem endgültigen Sieg über mein durch plötzliches Hasenableben verursachtes Kindheitstrauma einen guten Schritt näher. Ein rollendes Fahrrad ist ein perfekter Ort, um sich auszuheulen. Viel besser als der oft bevorzugte einsame Keller. Man ist an der frischen Luft, und trotzdem kann einen keiner lange anstarren. Und bis wir am Ziel angekommen sind, ist alles längst wieder getrocknet. Therapie on-the-go. Könnte man auch ein Start-up draus machen. Aber immer schön eins nach dem anderen.

Eigentlich meidet man als Radfahrer ja den Alexanderplatz wie der Gothic-Rocker das Hawaiihemd, aber wir müssen nun mal zu Saturn. Mist. Ich hätte natürlich vorher noch nachsehen sollen, welchen Rasierapparat

Herr Baumer benutzt. Nicht auszudenken, wenn ich jetzt mit einem höherwertigen Gerät anrücke. Dann hängt wieder mal der Haussegen schief, und Herr Baumer (Ludger) lässt nächste Woche womöglich seine Türklinken vergolden.

Egal. Ich muss es drauf ankommen lassen. Ein zweites Mal quäle ich mich nicht hierher. Also los. Daniel heruntergehoben und Fahrrad angekettet.

»Halt, bleib hier!«

»Aber ich muss den Regenschirm gucken.«

»Wo ist denn da ein Regenschirm?«

»Da vorne. Aber es regt doch gar nicht. Das ist ja ein Quatsch.«

»Ich seh keinen Regenschirm.«

»Doch! Daha!«

»Ach so, du meinst den Grillwalker.«

Ein paar Meter vor dem Saturneingang steht tatsächlich so eine bedauernswerte Kreatur im Getümmel. Mit einem vor den Bauch geschnallten Grill bei 26 Grad im Schatten Würste grillen. Da hat man wahrscheinlich selbst vor der Hölle keine Angst mehr. Quasi als humanitäres Feigenblatt wird der Grillwalker von einem am Rücken befestigten Sonnenschirm beschattet. Als würde ihm die Grillhitze nicht ohnehin schon den Rest geben.

»Papa, was ist ein Grillwohker?«

»Äh, der verkauft Würste.«

»Sind die lecker?«

»Ich weiß nicht. Komm, wir kaufen jetzt den Rasierer.«

Ich zerre Daniel durch die Saturneingangstüren.

»Oh, schon wieder ein Rackenrohl. Kann ich den haben?«

Manno, müssen die ihre dämlichen Guns'n'Roses-

CD-Restposten gleich am Eingang verhökern? Es dauert eine kleine Ewigkeit, bis wir bei den Rasierapparaten sind. Zum Glück steht in Sichtweite ein Fernseher, auf dem ein Tanzvideo läuft. Ein perfekter Ort, um Daniel zu parken, während ich mich in aller Ruhe der Rasierapparatereihe widmen kann.

»Oho, ich seh schon, der Herr braucht dringend einen neuen Rasierer.«

Ganz recht, Schlaumeier. Meine Gesichtsbehaarung ist heute recht asymmetrisch. Braunis Tod kam nämlich unerwartet. Aber wenn ich mir deinen Pornobalken ansehe, frage ich mich, wer von uns beiden hier dringender einen Rasierer braucht.

»Hier hätte ich etwas ganz Hervorragendes für Sie. Mit mikro-oszillierendem Scherkopf, aktivem Integralschneider und automatischer Selbstreinigung. Damit sparen Sie Zeit und ...«

»Sind Sie wahnsinnig? Keine Sonderfunktionen! Ich will den einfachsten Rasierer, den Sie haben. Am besten einen gebrauchten ...«

Eine Viertelstunde später sind wir wieder draußen. Der Rasierapparatkarton passt in die Papatasche, Daniel hat gute Laune, alles in allem könnte das noch ein perfekter Tag werden.

»Papa, jetzt eine Wurst von dem Grillwohker essen?«

Na gut. Eine kleine Belohnung, weil er bis jetzt alles so wunderbar mitgemacht hat. Warum nicht. Ich überwinde meinen inneren Widerstand und nähere mich vorsichtig dem Grillwalker. Der Mann steht in einem Hitzeball. Jeder, der eine Wurst will, muss da rein. Ich reiße mich zusammen und mache einen mutigen Schritt nach vorn. Es ist noch schlimmer, als ich es mir vorgestellt habe. Als Grillwalker muss man wohl entweder über eine eiserne Konstitution verfügen oder früher am

Hochofen gearbeitet haben. Keine glasigen Augen, keine Anzeichen aufkeimenden Wahnsinns. Die gefühlte Zeit dehnt sich und dehnt sich. Endlich halte ich eine Thüringer mit Senf in den Händen und sehe zu, dass ich Land gewinne. Wie angenehm kühl es doch in der prallen Sommersonne sein kann.

»Komm, wir setzen uns auf die Stufen.«

Ich schneide die Wurst in danielmundgerechte Happen. Er greift zu und ist glücklich. Vor allem der Senf hat es ihm angetan. Natürlich schafft er nur die Hälfte. Ich will schon aufstehen und den Rest entsorgen, aber nein.

»Kannst du essen, Papa.«

»Och nee, Daniel. Ich mag jetzt keine Wurst.«

»Is lecker.«

»Nee, lass mal.«

»Aber ich fütter dich. Hehe.«

Nicht dass ich prinzipiell etwas gegen Bratwürste hätte, aber ohne die Zutaten Schatten, Grün und Bier wollen sie mir einfach nicht schmecken. Doch irgendwie will man ja dem Kleinen nicht den Spaß vermasseln, und so lasse ich ihn dann doch die andere Hälfte der Thüringer in mich reinstopfen. Zum Glück habe ich Apfelschorle in der Papatasche, um gleich ordentlich nachzuspülen.

Oh, wer geht denn da vorbei? Das ist ja Bandmutter-Karsten. Wahrscheinlich unterwegs, um sich seinen angekündigten Laptop-Bandersatz zu kaufen. Ich kenn ihn doch. Er kann nicht ohne Musik. Ich kann nicht rufen, weil mir Daniel den Mund dermaßen voll Wurst gestopft hat, dass ich kaum noch Luft bekomme.

Karsten sieht mich nicht. Nichts zu machen. Er verschwindet im Saturn. Rabenbandmutter. Soll bloß nicht nachher angekrochen kommen und rumjammern, dass seine Festplatte zwar immer pünktlich zur Probe kommt, aber überhaupt kein bisschen lustig ist.

Fünf Minuten später hab ich den Mund endlich leer und hole tief Luft. Daniel ist zappelig.

»Noch eine Wurst vom Grillwohker!«

»Nein!«

»Aber noch mal dich füttern!«

»Ich hab aber keinen Hunger, verflixt noch mal!«

Nicht zu fassen. Muss ich schon meinen Autoritätsregler bis zum Anschlag hochziehen, nur um keine zweite Wurst in den Hals gesteckt zu bekommen. Wo soll das bloß enden?

Auf dem Weg nach Hause gibt es zum Glück keine lebensbedrohlichen Situationen mehr, und es gelingt mir sogar, den neuen Rasierapparat unbemerkt an Herrn Baumer vorbei in die Wohnung zu schmuggeln. Wahrscheinlich hat er ohnehin einen mit integriertem Gesichtsmassagegerät und Aftershavespender, aber trotzdem. Man kann ja nie wissen.

»Kann ich Ballett gucken?«

Sehr gut. Auf Daniel ist Verlass.

»*Schwanensee*, *Nussknacker* oder *Dornröschen*?«

»Nein, ich will den modernen Ballett gucken.«

»Was?«

»Den modernen Ballett gucken.«

»Aber, Daniel, das war doch nur im Fernsehen. Das können wir doch jetzt nicht einfach noch mal sehen.«

»Aber … ich will … Können wir nicht …?«

O nein, keine Tränen, bitte. Ich hole ja schon den blöden Videomitschnitt raus. Wird es halt doch nichts mit dem perfekten Tag.

UMPTA! … UMPATUMPTA! … UMPTA IHH IHH IHH! … IHHH! … UMPATUMPTA!

Die Irre im Indianerkostüm hüpft wieder herum.

Ah, Telefon. Ist mir sehr recht.

Tante Hilda ist dran. Das Bobby-Car-Rennen auf der

Veteranenstraße. Es wird ernst. Freitag, 17 Uhr. Zwölf Papas treten an, und ich bin der erste. Gewertet werden die gefahrene Zeit und das Outfit des Fahrers. In der Mode-Jury sitzen zwei Redakteurinnen aus ihrer Zeitschrift und eine Modeprofessorin von der Universität der Künste. Na, Mahlzeit.

»Markus, sag mal, was ist denn das für Musik da im Hintergrund?«

»Du wirst es nicht glauben, Hilda, aber Daniel liebt jetzt Strawinsky.«

»Entschuldige bitte die Frage, aber bist du dir sicher, dass er das wirklich hören will, oder willst nur du, dass er es hören will?«

Immer dieser Generalverdacht, dass man ein überkandidelter Kulturehrgeizpapa ist. Ein Glück, dass ich locker alle Bedenken zerstreuen kann.

»Wieso sollte ich wollen, dass er Strawinsky hört? Ich hasse Strawinsky.«

»Äh … ach so.«

Na super. Gerade noch der hyperaktive Bildungsbürger und jetzt wieder der hoffnungslose Kulturbanause. Wie schnell man doch sein Image verlieren kann. Aber selber schuld. »Ich hasse Strawinsky«, so was sagt man einfach nicht.

»Wir sehen uns dann übermorgen Nachmittag an der Ecke Fehrbelliner/Veteranen. Ich freu mich schon – und ich bin natürlich sehr gespannt auf dein Rennfahrerdress.«

»Ja, ich auch.«

»Lass dir was einfallen. Hör dir zum Beispiel mal Strawinskys *Feuervogelsuite* an. Vielleicht inspiriert dich das.«

Ja, schon gut, ich habe verstanden. Irgendwie habe ich so eine Ahnung, dass ich mir heute Abend beim

Fußball so übel den Knöchel verstauchen werde, dass ich nicht antreten kann.

UMPTA! ... UMPATUMPTA! ... UMPTA IHH IHH IHH! ... IHHH! ... UMPATUMPTA!

Ah, wir sind schon bei der nackten Tänzerin. Daniel guckt gebannt. Ich glaube, er kommt auch ohne mich klar. Vielleicht kann ich jetzt endlich den Brief an die Venture-Capital-Firmen schreiben. Laptop an und Finger gespreizt.

Also, es geht um Gefühle.

Sehr geehrte Damen und Herren, ...

...

... und fertig. Wow! Keine zehn Minuten gebraucht. So muss das gehen. Noch einmal durchlesen. Jawoll. Klingt seriös, trotzdem knackig und macht neugierig.

»Papa, kann ich noch mal den modernen Ballett gucken?«

Jaja, von mir aus. Ich spule die Kassette zurück und starte noch einmal.

UMPTA! ... UMPATUMPTA! ... UMPTA IHH IHH IHH! ... IHHH! ... UMPATUMPTA!

So, jetzt hab ich genug Zeit, um zwanzig Adressen einzufügen und zwanzig Briefe einzutüten. Endlich geht mal was voran.

*

Wieder mal nur ein schnelles Hallo und ein Kuss, aber Montag Abend ist nun mal Fußball. Brauch ich. Sieht Simone auch so. Allein schon wegen der Fitness. Ich mach ja sonst nichts außer Kinderwagenschiebing, und das ist sehr einseitig. Ich genieße die fünf Minuten Einsamkeit im japanischen Kompaktvan, bis ich den am Straßenrand wartenden Becker erreiche.

»Markus, mein Freund, was geht?«

»Einiges. Warte, ich muss mal kurz raus zum Briefkasten da hinten.«

»Wow, alles Briefe an exotische Freundinnen in fernen Ländern?«

»So ähnlich.«

»Du Glücklicher.«

So, ihr Brieflein. Schwärmt aus und bringt Geld.

»Mensch, Markus, soll ich dir was sagen? Fritz-Bertram schläft immer noch durch wie ein kleines Engelchen. Da haben wir wirklich Riesenglück gehabt. Bei euch war das doch damals ganz anders mit Daniel, oder erinnere ich mich da falsch?«

Nein, ganz richtig. Ich habe ein halbes Jahr praktisch ohne Schlaf verbracht. Und jetzt halt besser die Klappe, Becker, sonst fliegst du heute mit gespreizten Beinen gegen den Torpfosten.

»Ach, mir fällt gerade ein, wir sehen uns ja übermorgen.«

Was? Bitte nicht.

»Du bist doch der Startfahrer beim Papa-Bobby-Car-Rennen in der Veteranenstraße, hab ich gelesen.«

»Ich fürchte, ja. Wieso? Kommst du etwa?«

»Na, hör mal. Ich bin Startnummer acht. Ich fahre für meine Agentur. Und, nur damit du es weißt, ich habe nicht vor, mich mit dem zweiten Platz zufriedenzugeben.«

9 Helme und Tänze

»Markus, ich muss jetzt wirklich zur Arbeit. Aber du kriegst das hin. Nimm dir einfach Zeit. Klapper doch einfach in Ruhe mit Daniel ein paar Secondhandläden ab.«

»Entschuldige, Simone, aber die Lage ist ernst.«

»Markus, es ist nur ein Bobby-Car-Rennen.«

»Es geht um alles. Becker oder ich. Meine heutige Entscheidung kann Sieg oder Niederlage bedeuten.«

»Verstehe. Du bist richtig unter Druck. Und ich muss dagegen heute zum Glück nur den Vorstand davon überzeugen, dass wir dreihundert Arbeitsplätze in Wiesbaden erhalten sollten.«

»Äh, das ist natürlich auch wichtig. Aber ich …«

»Jetzt hör mir mal zu.«

Weia. Simones Ärger-Stirnfalte ist mehr als einen Zentimeter tief.

»Das Bobby-Car-Rennen soll ein Riesenspaß für alle sein, aber wenn ihr so eine Ehrgeiznummer draus macht, kann es auch ganz schnell fürchterlich doof werden.«

»Ja, ja, ja. Du hast ja recht. Aber noch mal zur Sache, du meinst also, ich soll nicht als Feuervogel fahren?«

»Vergiss es. Dafür bist du einfach nicht der Typ. Das wär was für jemanden, den alle als Tunte kennen.«

»Du hast keine Ahnung. In meinem Freundeskreis werde ich Popöchen genannt.«

»Wirst du nicht.«

»Okay, aber versteh doch, die Hälfte der Punkte gibt's fürs Kostüm.«

»Aber ein roter Bademantel mit bisschen Lametta dran ist kein Feuervogel.«

»Was denn sonst?«

»Hm, sagen wir mal, ein zugekokster Promi, der gerade gemerkt hat, dass er seine Mülltonne mit der Dusche verwechselt hat?«

»Jetzt sei doch mal konstruktiv.«

»Warum leihst du dir nicht einfach irgendwo eine abgerockte Motorradfahrerkluft?«

»Simone, du bist ein Genie!«

»Danke – und tschüss, ich muss jetzt wirklich rennen.«

Eine abgerockte Motorradfahrerkluft.

Gut.

Meine große Hoffnung heißt jetzt Walter. Walter ist der einzige ernstzunehmende Biker unter meinen Freunden. Hoffentlich stimmt die Handynummer noch.

Komm, geh ran, geh ran …

»Guten Tag. Sie sind verbunden mit der Mailbox von … Vrumm! Vrumm! Vrrrummmm!!! … Sie können nach dem Signalton eine Nachricht hinterlassen.«

Guter alter Walter. Lässt seine BMW die Mailboxansage machen. Sehr konsequent.

»Äh ja, hallo Walter! Hier ist Markus. Lange nicht gesehen. Du musst mir helfen. Ich brauch dringend eine von deinen alten Motorradmonturen für … Ach, lange Geschichte. Erzähl ich dir dann. Also, ruf mich dringend zurück, wenn du das hörst.«

So, zur Sicherheit noch eine SMS hinterher und dann nichts wie ab auf die Veteranenstraße, Strecke studieren.

*

»5,8 Sekunden. Sehr gut, Daniel. Und kannst du jetzt bitte den gleichen Streckenabschnitt noch mal auf der linken Seite vom Bürgersteig fahren? Komm, ich trag dir auch das Bobby-Car wieder hoch … Ahaaa, 4,9 Sekunden. Wusste ichs doch.«

Alles nicht so einfach. Aber je mehr sich mein Notizbuch füllt, umso zuversichtlicher werde ich. Hier irgendwo zwischen den Gehwegplatten, Kopfsteinen, Schlaglöchern, Glasscherben und Hundehaufen liegt die Ideallinie versteckt, und wir sind auf dem besten Wege, sie ans Licht zu holen.

Ich habe den Veteranenstraßenbürgersteig für unsere Analyse in fünf Streckenabschnitte unterteilt: von der Weinerei bis zu Frau Tulpes Stoffladen, von Frau Tulpes Stoffladen bis zum Acud, vom Acud bis zum Bergstübl, vom Bergstübl bis zu Taebs Bistro und von Taebs Bistro bis zur Brunnenstraße. Der wichtigste Abschnitt ist natürlich der erste. Wenn du da nicht genügend Anfangstempo aufnimmst, kannst du gleich duschen gehen. Wenn das aber gut geklappt hat, kann man erst mal nicht mehr viel falsch machen. Wichtig nur: Baugerüst vor Hausnummer 16 links umfahren und auf keinen Fall versuchen, drunterdurch abzukürzen. Richtig schwierig wird es erst wieder gegen Ende, wenn du durch die Außenbestuhlung vom Bergstübl und von der Magnetbar musst. Trotzdem, wir sollten auch die weniger anspruchsvollen Abschnitte testen. Die gesparten Zehntelsekunden läppern sich am Ende zusammen.

»Bin ich schnell gefahrt?«

»Wie ein Blitz, Daniel. So, und jetzt als Nächstes bitte einmal von hier aus bis zu dem roten Auto da vorne, okay?«

»Okeh.«

Wieder rollt mein kleiner Testpilot. Ich hoffe nur, dass

die Ergebnisse trotz des eklatanten Gewichtsunterschieds zwischen uns beiden brauchbar sind.

Verflixt, warum ruft Walter nicht zurück?

8,5 Sekunden. Ouh, das muss schneller gehn.

»Gut gemacht, Daniel. Aber jetzt noch mal. Diesmal startest du hier und, jetzt pass genau auf, wenn du an der kaputten grünen Flasche vorbeikommst, lenkst du ein bisschen nach ...«

Klingeling, klingeling!

Na also.

»Hallo Walter, warum rufst du von Simones Handy aus an?«

»Ich bin Simone.«

»Oh ... tschuldigung! Ich war gerade so ein bisschen auf Walter ... Ich meine, er soll ...«

»Ich hab nicht viel Zeit. Pass auf, Markus, du weißt, meine Eltern fahren zu diesem Feldenkrais-Seminar nach Sankt Petersburg. Sie haben gerade angerufen. Sie übernachten heute Abend auf der Durchreise in Berlin und würden uns gerne kurz besuchen. Kannst du bitte noch bisschen was einkaufen und die Wohnung einigermaßen aufräumen?«

»Äh ja, geht klar. Sag mal, da fällt mir ein, dein Vater fährt doch seit seiner Pensionierung Motorrad. Meinst du nicht, er könnte ... Also, weil ich habe gedacht, Biker-Walter ... Aber der ruft nicht zurück, und ...«

»Papa kann dir keinen Helm mitbringen. Die beiden sind schon längst unterwegs.«

»Dreck, irgendwie glaub ich, das ist heut nicht mein Tag.«

»Wenn du Walter nicht kriegst, probier's doch mal im Elisabethkrankenhaus.«

»Du bist wirklich ein Genie.«

*

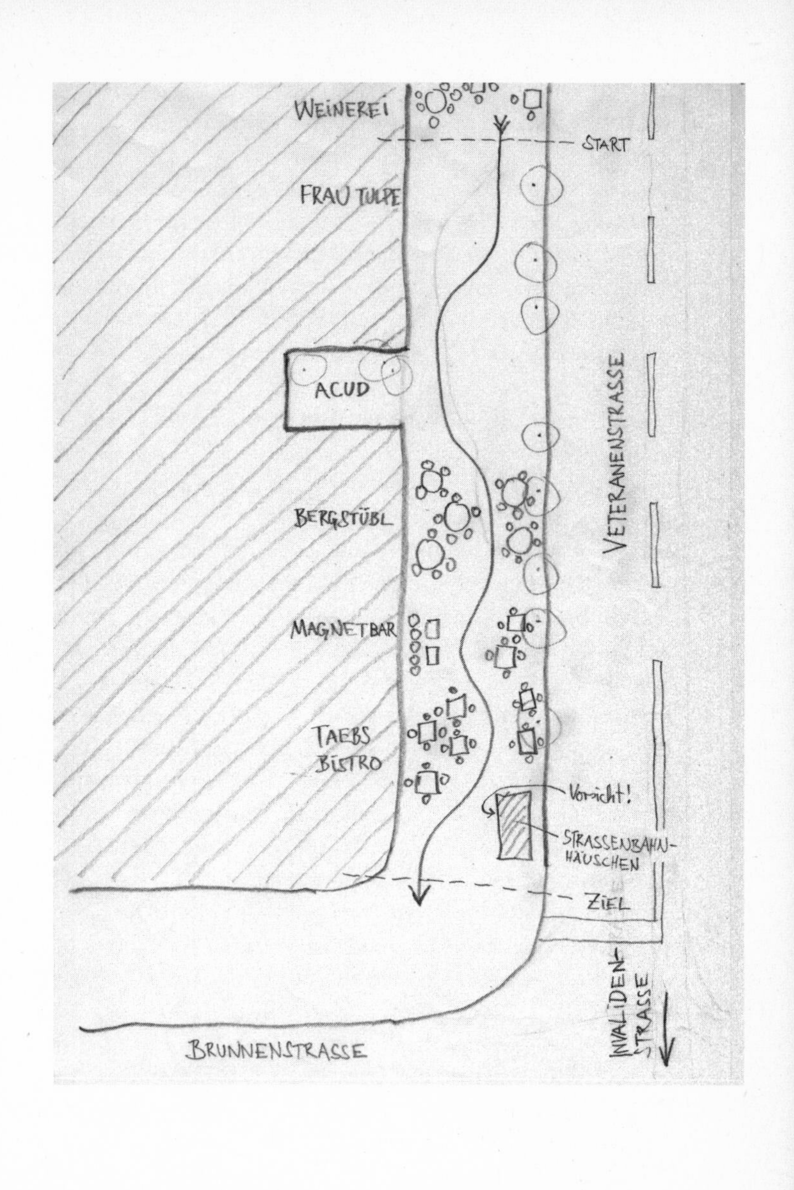
WEINEREI
START
FRAU TULPE
ACUD
VETERANENSTRASSE
BERGSTÜBL
MAGNETBAR
TAEBS
BISTRO
Vorsicht!
STRASSENBAHN-
HÄUSCHEN
ZIEL
INVALIDEN-
STRASSE
BRUNNENSTRASSE

Der Gips ist an einem Seil aufgehängt und wiegt schätzungsweise doppelt so viel wie Daniel in Winterklamotten.

»Na, Hauptsache, es kommt wieder in Ordnung.«

»Jaja, mach dir nicht ins Hemd, Markus. Ist wirklich nur der Arm. Aber dieser Drecksack von Chefarzt will mich noch zwei Tage hier behalten. Scheiß private Krankenversicherung.«

»Du armer Kerl.«

»Weißt du, was der Witz an der ganzen Sache ist? Also, ich war unterwegs zu Bert und musstn bisschen Gas geben, weil ich spät dran war. Dann Pappelallee, Speditionslaster, mir die Vorfahrt genommen – und plötzlich ging für mich irgendwie alles wie in Zeitlupe. Harter Aufprall, ich flieg hoch und, ob dus glaubst oder nicht, ich les beim Fliegen erst mal so richtig in aller Ruhe, was da draufsteht auf der Karre. Kann mich noch genau erinnern: *Volvo, Spedition Mordhorst* und *Bruno*. Danach gings mittemang durch die Scheibe, Kopf nach vorne, und ich knalle direkt mit dem Dez vom Fahrer zusammen. Na ja, hatn harten Schädel, der Bruno, aber er natürlich, im Gegensatz zu mir, ohne Helm. War bestimmt die Kopfnuss seines Lebens. Jungejunge, arme Sau. Möchte nicht mit ihm tauschen. Amnesie. Faselt die ganze Zeit was von einem kleinen Jungen mit Laufrad und glaubt felsenfest, dass dem sein Papa durch die Scheibe gesprungen ist und ihm eine verpasst hat … Aber sag mal, wie hast du mich überhaupt hier gefunden?«

»War nur so eine Ahnung.«

*

Perfekt. Ich habe Walters Wohnungsschlüssel, und Daniel schläft im Kinderwagen. Walters Wohnung liegt stufenfrei im Erdgeschoss. Walter wohnt immer im Erdgeschoss. Wegen der Nähe zur Maschine. Ich schließe auf und schiebe den Kinderwagen vorsichtig über die Schwelle.

Jetzt gibt es ja viele Bikermythen. Wildes Leben, laute Musik, Lederjacke niemals ausziehen, im Restaurant rohes Fleisch ordern und mit dem Springmesser essen, sich durch Rülps-Codes verständigen und in möglichst jeder Hinsicht ein Tier sein. Insofern könnte man meinen, es wäre sehr gut, dass Daniel schläft, während ich ihn vorsichtig in Walters Wohnung schiebe, weil das, was er da vielleicht zu sehen bekäme, ihn ganz schön verstören könnte. Das Spaßige an Bikern ist aber, dass das ganze Tiersein an der Schwelle zur eigenen Behausung sofort aufhört. Da stehen die Ikea-Naturholzregale kerzengerade in Reih und Glied auf dem frisch gesaugten Sisalteppich, alles ist picobello aufgeräumt und riecht nach Persil Color. Wenn es nämlich etwas gibt, vor dem so ein Zwei-Meter-Lederkoloss wirklich Angst hat, dann ist das eine vergammelte Kifferhöhle.

Das kommt mir bei meiner Suche natürlich sehr entgegen. Walters abgelegte Motorradkluften liegen genau da, wo er es angekündigt hat, in einem sauber beschrifteten Umzugskarton in der Abstellkammer. »Jede von denen hat mindestens 200 000 Kilometer abgesessen«, hat Walter gesagt. »Wenn ich mal eine größere Wohnung hab, mach ich mir ein Nostalgiezimmer und häng die Dinger in schöne Glasvitrinen.«

Mal sehen. Ich öffne den Karton. Eine Wolke Lederduft steigt auf. Ich breite die Monturen in einer Reihe auf dem Wohnzimmerfußboden aus und gehe ein paar Mal im Kreis drum herum. Die schwarze Lederkombi

hat was. Die würde ich mir aussuchen, wenn ich selber Motorrad fahren würde, aber für das Bobby-Car-Rennen ist die viel zu unauffällig. Die Nylonkombi? Nein. Sieht mehr nach Extrembergsteiger als nach Geschwindigkeitsrausch aus. Aber hier! Weißes Leder mit Nieten und roten und blauen Streifen entlang der Arm- und Beinnähte. Baujahr schätzungsweise 1971, aber sehr gut erhalten. Besser gehts doch kaum. Ich schlüpfe vorsichtig rein. Na ja, ein klein wenig schlabberig für den Alltag, aber für den einen Auftritt geht das auf jeden Fall. Ich pfeife leise vor mich hin, während ich die anderen Museumsstücke wieder vorsichtig zusammenlege und im Karton verstaue. Feuervogel ade. Hier kommt Motorman. Jetzt nur noch den richtigen Helm dazu.

Leider erweist sich die Erkundung von Walters Helmregal als Euphoriebremse. Wohin der Blick auch fällt, nur Hässlichkeit. Knallbunte Airbrush-Orgien, Blitze, Flammen, merkwürdige Tiervisagen und ein weißer Helm mit Golfballdellen. Sieht noch ganz neu aus. War Walter wohl am Ende selbst so peinlich, dass er ihn nur zu Hause getragen hat.

Ich stecke die weiße Ledermontur in die mitgebrachte Riesenplastiktüte und schiebe den immer noch brav vor sich hin dösenden Daniel wieder aus der Wohnung. Jetzt gehen wir erst mal in den Supermarkt und kaufen was zum Abendessen für uns und Simones Eltern ein. Vielleicht kriege ich dabei noch eine gute Helmidee.

Hm. Feldenkrais-Seminar in Sankt Petersburg. Irgendwie hätte ich spontan auch große Lust dazu. Ich hab zwar keine Ahnung, was Feldenkrais ist, aber es hört sich schön ruhig an.

Im Supermarkt gehe ich ausnahmsweise an den schicken Hybridmobilen vorbei und lasse Daniel im Kinderwagen weiterschlafen. Mein Job hier ist nämlich gar nicht so einfach. In Simones Wahrnehmung sind ihre Eltern hyperarrogante Etepetete-Feinschmecker, deren Ansprüchen man nur mit einer Serie kulinarischer Dreifachsalti gerecht werden kann. In Wirklichkeit sind sie aber ganz normal und glücklich, wenn man ihnen frische und gesunde Hausmannskost vorsetzt. Meine Aufgabe besteht jetzt darin, genau das zu besorgen und dazu noch ein Extraschmeckerchen zu finden, das Simone das Gefühl gibt, dass ein Hauch von Haute Cuisine über unserem Esstisch schwebt.

Schillerlocken zum Beispiel, aber die hatten wir schon letztes Mal. Hm, vielleicht irgendeine Käsespezialität? Ich schiebe Daniel genüsslich am prall gefüllten Überraschungseiständer vorbei Richtung Käsetheke.

Wenn du wüsstest, wo du gerade bist, mein Freund. Aber wenn du aufwachst, sind wir hier längst wieder draußen. Und zwar ohne Ei …

Wobei – das mindert natürlich auch meine Chancen, endlich die wilden Waldwatze komplett zu kriegen. Und irgendwann gibt es dann neue Überraschungseiserien. Wenn mir dann noch ein Waldwatz fehlt, steh ich dumm da und kann noch mal schön von vorne überlegen, wie ich Daniels Studium finanziert kriege. Nein, so weit lasse ich es nicht kommen, denke ich, und lade sechs Überraschungseier in den Einkaufskorb.

Klingeling, klingeling!

Oh, Simones Vater.

»Ja, hallo?«

»Hallo Markus, hier ist Heiner. Ich wollte Simone nicht noch mal während der Arbeit stören. Pass auf, Malina und ich, wir sind doch gerade auf dem Weg zu euch. Und jetzt dachten wir uns gerade, damit ihr beiden nicht noch zusätzlich Mühe habt, laden wir euch

einfach wieder in das schöne schweizerische Restaurant ein, wo wir letztes Mal waren.«

»Ins Nola? Oh, aber das ist doch nicht nötig.«

»Doch, doch. Oder seid ihr enttäuscht, wenn wir nicht zu euch kommen?«

»Och, na ja, ist schon okay. Ich glaube, du hast mich überredet. Und Simone ist sicher auch begeistert.«

»Dann treffen wir uns um sieben einfach da? Dann wirds auch nicht so spät für Daniel.«

»Abgemacht. Bis dann, und gute Fahrt noch.«

»Bis dann.«

Bingo. Ich brauche kein Schmeckerchen mehr. Jetzt muss ich nur noch den ultimativen Helm für das Rennen morgen finden und der Tag war ein guter.

Wichtig ist ja, dass man bei solchen Sachen nicht verkrampft. Einfach an alles Mögliche denken, nur nicht an Helme. Und plötzlich kommt der ideale Helm angeschwebt. Ich glaube an so was.

Ah, hier, die Zeitschriften. Neue Woche, neue Scarlett-Johansson-Cover. Schon bin ich weg von den Helmen. Heute ist sie sogar in der lokalen Boulevardpresse auf Seite eins. Was steckt da dahinter? Neuer Liebhaber? Mal lesen.

Nein.

Sie kommt nach Berlin.

Übermorgen.

Ich glaube, ich sollte das besser gar nicht wissen. Jetzt habe ich schon zwei Sachen, an die ich nicht denken will. Helm und Scarlett. Irgendwie ist es wirklich verdammt schwer, gleichzeitig an zwei Sachen nicht zu denken. Während ich den Wagen zur Kasse schiebe, muss ich miterleben, wie sich mein Bewusstseinsstrom verselbständigt und beginnt, wild zwischen den verbotenen Ufern hin und her zu schwappen.

Scarlett Johansson kommt nach Berlin.
Ich brauch dringend einen originellen Helm.
Scarlett Johansson kommt nach Berlin.
Ich brauch dringend einen originellen Helm.
Scarlett Johansson kommt nach Berlin.
Ich brauch dringend einen originellen Helm.

Als letzte Rettung wecke ich Daniel auf. Durst, Windel voll, Fuß eingeschlafen und überhaupt erst mal großes allgemeines Aufwachjammern. Bestens. Auf ihn ist wirklich Verlass. Über den hereinbrechenden Betüdelungsaufgaben verschwinden die verbotenen Gedankenufer in weiter Ferne, und ich strecke ihnen noch einmal kräftig die Zunge heraus. Ab nach Hause.

*

»Oh, so viele Überraschungseier?«

»Ja, äh, weil heute dein Glückstag ist.«

»Ich will mal überraschen, was da drin ist.«

»Nur zu.«

Fünf Minuten später geht es uns nicht mehr so gut. Daniel hat Bauchweh, und ich schaue wütend auf die Ausbeute. Sechs Eier und nur ein Waldwatz dabei. Und ausgerechnet Blätterbeppo. Den haben wir schon. Ich reibe Daniel den Bauch. Schon Wahnsinn, was eine Familie alles auf sich nehmen muss, um so ein Studium zu finanzieren.

»Das wird schon wieder, Daniel. Was willst du denn jetzt am liebsten machen?«

»Ballett gucken.«

»*Schwanensee*, *Nussknacker* oder *Dorn…*«

»Ich will wieder den modernen Ballett gucken.«

War ja klar. Aber gut. Wenns gegen die Bauchschmerzen hilft.

»Ich mach dann solange die Küche sauber, okay?«

»Okeh.«

Ich setze das Video in Gang. Bevor ich in die Küche gehe, rufe ich noch Simone an und gebe Bescheid, dass wir uns mit den Eltern im Nola treffen. Dann schnell die Ärmel hochgekrempelt. Ich habe Routine. Nach einer Viertelstunde glänzt alles, als wäre hier nie ein Kleinkind gewesen. Nur noch den Müll runterbringen.

Manno. Spärliche drei Mal am Tag benutze ich das Treppenhaus, und trotzdem treffe ich dauernd Herrn Baumer. Diesmal allerdings mit einer mir bis dato unbekannten Baumer-Kleidungsvariante: eine von frischen Betonspritzern besprenkelte Bauarbeiterlatzhose.

»Hallo, L…udger. Heute mal in Arbeitsmontur?«

»Hallo, Markus. Tja, hm, musste hier und da 'n bisschen was ausbessern, aber tschuldigung, muss jetzt ganz schnell weiter, Arbeit ruft.«

Ich würde ja viel drum geben, wenn jedes Baumergespräch so zackig verlaufen würde, aber das riesige Fragezeichen über meinem Kopf stört mich jetzt schon irgendwie. Was, bitte schön, muss Herr Baumer mit Beton ausbessern? Eine Delle im Auto wohl kaum. Aber was kann es sonst gewesen sein? Egal. Ich hab andere Sorgen, denke ich mir, während ich unsere Wohnungstür aufmache.

Helm, Helm, Helm. Irgendwie kommt da nichts mehr. Ich muss was tun.

»Papaaaa, Papaaaa, die tanzt schon wieder nackich.«

»Na ja, wie gesagt, ist halt so beim modernen Ballett. Da tanzen die oft nackich. Kannst gerne ein anderes Ballett gucken, wenn dich das stört.«

»Nein, nein. Ich guck die Nackichtänzerin. Ich bin ja auch manchmal nackich.«

Wie schön. Da ist ein kleiner Mensch dabei, schon

früh ein ausgewogenes, unverkrampftes Schamgefühl zu entwickeln. Gut, wenn ihm da ein Elternteil als Gesprächspartner zur Verfügung steht.

»Na klar. Jeder Mensch ist mal nackich. Ich auch. Montags nach dem Fußball beim Duschen zum B…«

Zoiiiing!

»Papa, warum rennst du weg?«

Fußball → Andi → Moped → Helm.

Ich bin so eine Trantüte! Torwart-Andi hat seit einem Jahr diese exzentrische Modedesignerfreundin, und die fand seinen eigentlich ganz hübschen orangefarbenen Mopedhelm mit dem Schwarz-Weiß-Karostreifen in der Mitte nicht gut. »Wenn schon retro, dann richtig«, hat sie gesagt. Und dann hat sie Andi einen Helm aus der Ausstattung irgendeines 70er-Science-Fiction-B-Movies geschenkt. Ein Hingucker der Extraklasse. Hochglanzpolierter Chrom, vorne ein herunterklappbares Plastikvisier und hinten eine Gummimatte dran, wie bei einem Feuerwehrhelm. Den trägt Andi seitdem tapfer, weil er sie wirklich liebt.

Und genau dieser Helm wird mich morgen zum sicheren Sieger machen. Hechtsprung zum Telefon.

Komm, geh ran, geh ran …

»Hallo …«

»Hallo Andi, hier ist Markus. Sag mal, könnte ich mir morgen Nachmittag deinen Space-Helm ausleihen?«

»Ach, fährst du auch bei diesem Bobby-Car-Rennen mit?«

»Woher weißt du das?«

»Du bist gut. In der Werbe- und Medienszene ist das Ding seit Tagen Stadtgespräch. Da waren PR-Profis am Werk. Sowohl Modelabels als auch Windelhersteller reißen sich darum, Hauptsponsor zu werden.«

»Ah … so ist das.«

»Gewinn mal schön. Dann bist du womöglich über Nacht ein Star. Hihi.«

»Werd ich, wenn du mir deinen Space-Helm leihst.«

»Oh … Ich glaube, du musst jetzt ganz tapfer sein.«

»Wieso?«

»Du bist zu spät. Becker hat schon vor einer Stunde … Markus, alles in Ordnung bei dir?«

»Ja. Hab nur vor Wut gegen die Wand getreten. Knöchel wird gerade ein bisschen dick …«

»Ich kann dir gern meinen alten Helm leihen. Den orangen. Ganz unter uns, ich finde den sowieso viel schöner.«

*

Ich habe schon wieder mein Brotstückchen im Fonduetopf verloren. Aber wie soll man sich auch vernünftig aufs Essen konzentrieren, wenn man am nächsten Tag ein Rennen hat. Ich stehe unter Druck. Wenn Becker mit Andis Space-Helm die Modewertung gewinnt, muss ich auf jeden Fall der Schnellste sein, um überhaupt noch eine Chance zu haben.

Zum Glück merken Simones Eltern Heiner und Malina nicht allzu viel von meinen kleinen Essdesastern. Sie sind, wie die meisten der anderen Gäste im Nola auch, ganz entzückt von den Tänzen, die Daniel auf der Freifläche in der Mitte des Raums aufführt. Simone guckt etwas säuerlich aus ihrem dunkelblauen Businesskostüm, weil er seinen Kinderteller fast nicht angefasst hat, aber es gab nun mal keine Fischstäbchen, die Musik hat ihm gefallen und im Nola ist viel Platz.

»Wie anmutig er sich bewegt.«

Malina hat schon fast Tränen in den Augen. Ich sitze mit dem Rücken zu der ganzen Veranstaltung und bekomme nur mit, dass er hin und wieder kurze Tanzpausen macht und sich dabei mit dem Gesicht im Schoß seiner Großmutter vergräbt.

Irgendwie fällt mir immer mehr ein Tisch ins Auge, an dem das einzige Paar im Raum sitzt, das sich nicht für Daniels Aufführung interessiert. Die beiden ignorieren sogar den brodelnden Fonduetopf, der gerade vor ihnen abgestellt wurde. Der Typ hat sich in seinen Laptop-Bildschirm vergraben, und die Frau sieht ihm begeistert zu. Hin und wieder reichen sie sich einen riesigen Kopfhörer hin und her.

Je länger ich hinschaue, umso mehr bestätigt sich mein Verdacht. Ich richte mich etwas auf und spähe über die Laptop-Oberkante ... Tatsächlich. Bandmutter-Karsten.

Das haut mich jetzt wirklich um. Bandmutter-Karsten mit Bandersatz-Laptop in einem Restaurant – okay. Aber Bandmutter-Karsten mit einer Frau, das gab es wirklich noch nie. Das darf doch einfach nicht wahr sein, wie gut der ohne uns klarkommt. Ich starre wütend auf Laptop und Frau, bis mich Heiner aus meiner finsteren Eifersuchtshöhle reißt.

»Na, und du hast nach wie vor den Alltag gut im Griff mit dem Kleinen?«

»Jaja, ich komm klar. Übung macht den Meister.«

»Ich bewundere dich ja. Als Simone klein war, Mensch, da hat sich doch damals noch kein Mann getraut, den Hausmann zu machen.«

»Na ja, war halt eine andere Zeit.«

»Trotzdem. Stell dir vor, ich hab Simone kein einziges Mal gewickelt. Kein einziges Mal.«

Er sieht sie an, als würde er das Versäumnis am liebsten sofort, hier und jetzt, nachholen. Simone guckt unbehaglich. Heiner lässt nicht locker.

»Immer nur Plackerei, Plackerei. Viel zu wenig zu Hause gewesen. Und bevor ich michs versah, war mein Täubchen schon erwachsen. Nicht einmal gewickelt. Ein lausiger Papa war ich. Sags ruhig, Simone.«

»Jetzt lass mal gut sein, Papa. Wenn, dann würde für mich doch das Gleiche gelten, oder?«

»Aber du wickelst ihn wenigstens ab und zu.«

»Das hat doch nichts mit Wickeln zu tun.«

O nein. Jetzt nicht den Schlechte-Mutter-Blues aufkommen lassen. Schnell ein neues Thema. Einfach irgendwas.

»Sag mal, Heiner, du fährst doch jetzt schon ein paar Jahre Motorrad. Kannst du mir erklären, warum es heutzutage nur hässliche Helme zu kaufen gibt?«

»Ja, da sagst du was. Überall dieses buntige Gewusel. Gefällt mir überhaupt nicht.«

»Und der ganze Tierkram.«

»Ja genau, Adler, Geier, Raubkatzen. Kindisch so was.«

Heiner hat sich in Fahrt geredet, und Simone entspannt sich. Ich klopfe mir in Gedanken auf die Schulter, während Daniel mal wieder bei Malina andockt.

»Guck mal Oma, jetzt mach ich einen modernen Ballett.«

»Und die schlimmsten Helme find ich die, die, wie soll ich sagen, so mit diesen verschlungenen Mustern, also wie buntgefärbtes Unkraut sieht das aus, du weißt, was ich meine, oder?«

»Ja, ganz übel. Würde man sich nicht zu Hause an die Wand hängen, was?«

»Nee, wirklich nicht. Ungemütlich wär das. Richtig ungemütlich.«

»Äh …«

Das »Äh« kam von Malina. Und es war so ein »Äh«,

das einen darauf aufmerksam machen soll, dass eine Situation eingetreten ist, die sofortiges Handeln erfordert. Noch während ich mich umdrehe, wird mir klar, dass ich mich viel zu sehr von der Helmgeschichte habe ablenken lassen und dass die rote Warnlampe, die Daniels letzte Ballett-Ankündigung hätte aufleuchten lassen müssen, einfach ihren Dienst versagt hat. Deswegen erschrecke ich nicht allzu sehr. Das Bild, das sich mir bietet, ist etwa das, was ich mir in der vergangenen Zehntelsekunde schon im Kopf zusammengesetzt habe: Daniel ist nackt und tanzt durch den Raum. Er hat es sogar geschafft, sich die Windel auszuziehen. Modernes Ballett → *Le Sacre du Printemps* → nackich tanzen. War eigentlich klar.

Die Gäste um ihn herum sind entweder rot angelaufen oder lachen sich kaputt. Simone sitzt zur Salzsäule erstarrt da. Nur Heiner hat als Einziger noch nichts bemerkt.

»Und manche, die haben sogar nackte Weiber auf ihrem Helm. Mit so großen … Also für mich wär das jedenfalls nichts.«

*

UMPTA! … UMPATUMPTA! … UMPTA IHH IHH IHH! … IHHH! … UMPATUMPTA!

»Und DAS hast du ihn wirklich gucken lassen?«

»Was sollte ich machen? Ich konnte ja nicht ahnen, dass das so … modern ist. Na ja, und dann wollte er es nach ein paar Tagen unbedingt noch mal sehen, und ich hatte ja den Mitschnitt und …«

»Das ist nichts für Kinder.«

»Warum nicht? Bloß weil Daniel sich im Restaurant ausgezogen hat? Komm, Simone, lass uns nicht so wie unsere Großeltern sein.«

Ich kann es nicht glauben. Ich verteidige sozusagen Strawinsky. Immerhin, Simone fängt an einzulenken.

»Vielleicht hast du recht. Das ist immer wieder diese schwachsinnige Angst, dass die anderen mich für eine schlechte Mutter halten. Eigentlich völliger Blödsinn. Ist doch nichts dabei, wenn sich so ein kleiner Zwerg mal die Windel auszieht, oder?«

»Genau. Seien wir einfach froh, dass er nicht auch noch auf die Idee gekommen ist, sich öffentlich den Wutz steif zu machen.«

»Wie bitte?«

*

In der Nacht träume ich, dass ich ein Überraschungsei öffne und mir ein Scarlett-Johansson-Bausatz entgegenpurzelt.

10 Hitchcock

Jeder weiß, aus einer Ouvertüre darf man nicht unbedingt Rückschlüsse auf das ganze Werk ziehen. Manchmal hört sie sich so an, als sei sie dem Komponisten leicht von der Hand gegangen, und manchmal stellt man sich eher vor, dass er beim Schreiben Zeitdruck, Kopfschmerzen, Durchfall und nachmittags einen Termin beim Finanzamt hatte. Ich bin zum Beispiel sicher, dass Tschaikowski großen Spaß bei der *Nussknacker*-Ouvertüre gehabt hat. Die *Dornröschen*-Ouvertüre dagegen, na ja. Trotzdem ist die restliche *Dornröschen*-Musik, genau wie die restliche *Nussknacker*-Musik, sehr schön anzuhören.

Mit unserem morgendlichen Familienfrühstück verhält es sich ähnlich. Entspanntes Schmausen ist was Feines. Und gerät es mal nicht ganz so entspannt, ist es dennoch kein Grund, auch für den Rest des Tages schwarzzusehen.

Heute sieht fürs Erste alles sehr gut aus. Ich habe mich, wie ich es an guten Tagen manchmal tue, heldenhaft mit leerem Magen bis zum nächsten Bäcker vorgearbeitet und bin mit lecker duftenden Brötchen und Croissants im Stoffbeutel nach Haus spaziert. Daniel ist so nett, weder seinen Kakao umzuwerfen, noch seine Stoffkatze in die Butter zu setzen. Stattdessen verschlingt er mit großen Augen alles, was ich ihm mundfertig vor die Nase stelle, und belohnt mich sogar hin und wieder mit einem dankbaren Lächeln. Ich komme

mit dem Zubereiten kaum noch hinterher und bin froh, als er endlich eine Esspause macht, um seine Katze mit Krümeln zu füttern.

Zeit für mein Croissant. Mit etwas Fantasie kann ich noch zarte Reste der Ofenwärme in den Fingerspitzen spüren. Simone sieht mich wohlwollend über den Rand der Zeitung an. Nicht nur, dass ich beim Bäcker war, auch dass ich geduscht und fertig angezogen am Tisch sitze und nicht, wie sonst oft, verstrubbelt im Schlafanzug, macht sie glücklich.

Ich breche das liebliche Backwerk auseinander und freue mich an den bezaubernden Knuspergeräuschen. Die Butter ist inzwischen weich genug, dass ich sie vorsichtig auf dem appetitlich zartgelben Croissant-Inneren verstreichen kann. Dann die Aprikosenmarmelade und jetzt …

»Papa! Mir die Finger waschen.«

Ich bringe meine essbereit aufgesperrten Kiefer wieder in die Ausgangsstellung, und mein Geschmackszentrum, das sich gerade auf eine deliziöse Stimulation mit intensiver Aprikosennote eingestellt hat, schlägt enttäuscht mit der Faust von innen gegen meine Schädeldecke. Tausendmal habe ich Daniel gesagt, dass er nicht mit den Fingern in die Nutella soll. Warum tut er mir das an? Ausgerechnet jetzt. Ich hasse Nutella, und ich hasse es, Nutellafinger abzuwischen.

Aber seltsam. Schon im nächsten Moment ändere ich meine Meinung. Nutella ist doch gar nicht so schlimm. Wenn man sie nicht zu dick aufträgt, kann sie durchaus ein angenehmes nussig-schokoladiges Geschmackserlebnis bedeuten. Irgendwie gibt es sogar auf einmal nichts, was ich mir sehnlicher wünschen würde, als dass die braune Masse an Daniels Händen dreißig Zentimeter vor meinem Gesicht Nutella wäre.

»Simone …«

»Was … O mein Gott!«

»Ich glaube, er hat in seiner Windel gewühlt.«

»Okay. Iss mal dein Croissant. Ich mach das.«

Simone legt die Zeitung weg und verschwindet mit Daniel im Bad. Ich sehe mein Croissant an. Zwischen das perfekte Duftpaar aus Kaffee und frischem Gebäck hat sich eine feine, aber unmöglich zu überriechende Kackschwade gedrängelt. Mein Geschmackszentrum verschränkt die Arme, guckt beleidigt in die Luft und sagt: »Nö, jetzt hab ich keine Lust mehr«, und aus dem Bad höre ich Simone mit ihrem Schicksal hadern.

Aber, wie gesagt, eine schlechte Ouvertüre muss nichts für das übrige Stück heißen, und heute ist immerhin Freitag. Der Tag des großen Rennens.

Der Verlauf der nächsten Stunden bestätigt meine Theorie. Ich habe Daniel zwar nichts von dem Rennen erzählt, aber ich glaube, er spürt instinktiv, dass er mich heute schonen sollte. Ich muss weder das moderne Ballett anmachen, noch aus dem bescheuerten *Oma!-schreit-der-Frieder*-Buch vorlesen. Er verzieht sich in sein Zimmer, malt friedlich ein paar Blätter voll und spielt mit seiner Murmelbahn. Ich nutze die Zeit, um die Bobby-Car-Radlager einzufetten und noch eine letzte Rennmontur-Anprobe durchzuziehen. Ich stehe gerade wie Schneewittchens Stiefmutter persönlich vor unserem überdimensionalen Flurspiegel und bilde mir ein, dass er flüstert: »Aber der Becker hinter den sieben Bergen bei den sieben Zwergen hat einen noch viel schöneren Helm«, als es an der Tür klingelt. Herr Baumer.

»Oh … Hallo, Markus.«

Er schreckt vor meiner Aufmachung zurück. Nicht unbedingt ein schlechtes Zeichen.

»Ich bin doch tatsächlich ohne Schlüssel aus dem

Haus gegangen, und Gisela ist mit Greta unterwegs. Habt ihr noch unseren Zweitschlüssel?«

Während ich in meinem steifen Ledergefängnis zur richtigen Schublade stakse, wird mir noch mal klar, dass diese Kluft wirklich ausschließlich zum Auf-dem-Motorrad-Sitzen gemacht wurde. Gas geben, lenken, bremsen und zur Not hundert Meter auf dem Rücken über den Asphalt schlittern, aber alles andere kannst du vergessen. Wenn mich jetzt einer umschubsen würde, könnte ich wahrscheinlich nicht mal mehr ohne Hilfe wieder auf die Beine kommen.

»Hier, der Schlüssel.«

»Vielen Dank. Was täte man nur ohne zuverlässige Nachbarn, nicht wahr? Momentchen, bitte.«

Herr Baumer schließt seine Wohnungstür auf und gibt mir den Schlüssel zurück.

»Hier. Falls einer von uns mal wieder ...«

»Kein Problem. Allzeit bereit.«

Er dreht sich zum Gehen.

Irgendwie fängt mein Mund von selbst zu sprechen an.

»Ach L...udger, eine Frage: Wie findest du meinen Helm?«

Herr Baumer mustert Andis orangen Ex-Helm, als säße ein Alien auf meinem Kopf.

»So ein Helm entspricht heute nicht mehr den gesetzlichen Bestimmungen, Markus. Wenn du dich damit auf ein Motorrad setzt und es passiert was, hast du keinen Versicherungsschutz.«

Ich schließe die Tür und wundere mich über mich selbst. Ich habe tatsächlich Herrn Baumer gefragt, wie er meinen Helm findet. Irgendwie bin ich viel zu unsicher.

Aber seltsam. Das Gleiche scheint heute auch für ihn

zu gelten. Herr Baumer ist einfach nicht der Typ, der seinen Schlüssel vergisst. Dann gestern sein Auftritt in der Hose mit den Betonspritzern. Unheimlich. Neulich kam erst wieder Hitchcocks *Fenster zum Hof* im Zweiten. Brrr, wie der fiese Nachbar da seine ermordete Frau verschwinden lassen will. Baumer, was hast du nur getan?

Aber ich kann mich erst ab morgen drum kümmern. Ich brauche jetzt erst mal eine mentale Trainingseinheit, um Selbstvertrauen für die Rennstrecke zu tanken. Ich schlüpfe aus der Montur, begebe mich in den Lotussitz, schließe die Augen und horche in mich hinein.

Aber der Becker hinter den sieben Bergen ...

Verflixt, so wird das nie was.

»Papaaaa, Papaaaa!«

Okay. Das mentale Training muss ich wohl sowieso auf die Mittagsschlafzeit verlegen.

Daniel will auf den Spielplatz. Warum nicht. Frische Luft und andere Gedanken. Sicher nicht verkehrt. Ich darf bloß keine Verletzung riskieren. Keine gefährlichen Rettungsaktionen. Nehmen wir mal lieber einen Spielplatz ohne Klettergerüst.

Nach anderthalb Stunden Spielplatz gehen wir wieder nach Hause. Ich habe kaum Appetit und schaffe nur drei Fischstäbchen zum Mittagessen. Daniel ist wenigstens schön müde vom Draußensein und pennt im Nu weg. Mein erneuter Mentaltrainingsversuch scheitert genauso kläglich wie der erste. Geht halt nicht einfach so. Ich bräuchte einen Guru. Aber einen Guru sollte man sich auf keinen Fall unter Zeitdruck suchen. Also geschissen auf das mentale Training. Augen zu und durch. Keiner kennt die Strecke wie ich, und gegen Biker-Walters weiße Zuhälter-auf-Rädern-Montur könnte Becker noch nicht mal mit drei Space-Helmen anstinken.

Hey, das war gut. Ich fühle mich besser.

Ich lese in paradiesischer Ruhe den Sportteil und schicke anschließend fünf Kilo Buntwäsche auf die Reise im Kreise. Dann ist Daniel wieder wach.

»Kann ich den modernen Ballett …?«

*

UMPTA! … UMPATUMPTA! … UMPTA IHH IHH IHH! … IHHH! … UMPATUMPTA!

Ruhe bewahren, Markus. Du weißt, es ist nur eine Phase. Irgendwann ist es vorbei, und er will wieder *Schwanensee* sehen. Immerhin haben wir für heute schon die Hälfte geschafft. Die Indianerin und die Im-Dreck-Wälz-Frau sind schon abgetreten. Jetzt nur noch die vermaledeite nackte Tänzerin und der Blitzmann.

Es klingelt. Kleine Strawinskypause für mich.

»L…udger?«

»Es ist nicht zu glauben, Markus. Ich bin schon wieder ohne meinen Schlüssel los. Entschuldige bitte. Irgendwie bin ich heute ein wenig konfus.«

»Macht nichts. Warte, ich hole ihn schnell.«

Wieder ins Wohnzimmer, den Schlüssel aus der Schublade kramen. Seltsam, seltsam. Was führt der Mann nur im Schilde? Diesmal fällt mir Hitchcocks *Bei Anruf Mord* ein. Ist da nicht einer wegen Mordes drangekriegt worden, weil er zur falschen Zeit den falschen Schlüssel aus dem falschen Versteck geholt hat, oder so ähnlich? Vielleicht ist das alles ein abgekartetes Spiel, und ich stehe morgen unter Mordverdacht?

Sehen Sie hier, Euer Ehren, dieser Schlüssel wurde benutzt, um die Wohnung der Baumers in der Mordnacht aufzuschließen. Das konnten unsere Experten anhand der mikrolastkahnischen Untersuchungsergebnisse einwandfrei nachweisen. Und dreimal dürfen Sie raten, wessen Fingerabdrücke wir auf dem Schlüssel gefunden haben ...?

Wahrscheinlich mache ich gerade den größten Fehler meines Lebens. Ob ich ihm lieber sagen soll, dass ich den Schlüssel nicht mehr finde? Aber wer weiß, wie er reagieren wird. Ein Mörder, der in die Enge getrieben wird, ist gefährlich wie ein angeschossener Elefant. Womöglich wird er Daniel als Geisel nehmen.

O Gott. Ich höre Schritte hinter mir.

Er ist mir gefolgt.

Ich drehe mich langsam um.

Ein Blick reicht, um zu sehen, dass ich jetzt wirklich ein Riesenproblem habe. Es hat aber nichts mit Mord und Totschlag zu tun. Herr Baumer fixiert den Fernseher. Auf dem Bildschirm räkelt sich die nackte Tänzerin auf ihrem grünen Kunstrasen und gibt jedermann Gelegenheit, ihre Schamhaare zu zählen. Und Daniel guckt gebannt zu. Und Herr Baumer guckt zu, wie Daniel gebannt zuguckt.

Ich brauche mir keine Illusionen zu machen. Ich weiß, wie das aussieht. Ich kann nur noch krächzen.

»Äh, das ist ...«

»Strawinsky. Ich weiß. *Le Sacre du Printemps*. Großartige Musik.«

Wie bitte?

»Oh ... ja sicher, großartige Musik.«

»Entschuldige bitte, dass ich hier einfach ungebeten in euer Wohnzimmer platze, Markus, aber dieser Klang rührt immer den Grund meines Herzens an.«

»Nun ja, kein Problem, L...udger.«

»Eine seiner Sternstunden. Dieser Mut. Hör nur.«

UMPTA! ... UMPATUMPTA! ... UMPTA IHH IHH IHH! ... IHH IHH IHH! ... IHH IHH IHH! ... UMPATUMPTA! ... IHHHHHHHH!

»Ja, doch, schon ein gewaltiger Mut. Hmhm.«

Puh, vor ein paar Sekunden hätte ich noch gedacht, der zeigt mich sofort beim Jugendamt an. Ich bin erleichtert und plaudere weltgewandt drauflos.

»Übrigens, die *Feuervogelsuite*, die finde ich ja auch sehr beachtlich.«

Herr Baumer wendet seinen Blick wieder vom Fernseher ab und sieht mich an. Er kneift die Augenbrauen zusammen. Weia, hätte ich doch lieber den Mund gehalten. Vielleicht hat mich Tante Hilda nur veräppelt und die *Feuervogelsuite* gibt es gar nicht.

»Die *Feuervogelsuite?*«

Er redet mit einer Stimme, vor der selbst Herbert Wehner den Schwanz eingezogen hätte.

»Nun, die *Feuervogelsuite* findet selbst meine Großmutter beachtlich. Aber das hier, Markus, *Le Sacre du Printemps*«, er beschreibt einen gewaltigen Bogen mit seiner rechten Hand, »das hält keiner aus, der eine hässliche Kleinbürgerseele hat.«

Ich kann es nicht fassen. Herr Baumer, mein Herr Baumer, der Mann, der in türkisfarbenen Jogginganzügen unter die Menschen geht und den Begriff Nachbarneid völlig neu definiert hat, liebt Strawinsky und schimpft über hässliche Kleinbürgerseelen. Was kommt als Nächstes?

Ich muss nicht lange warten. Sein Blick streift den Wurlitzer. Wie von einem Magnet angezogen, geht er darauf zu. Noch gestern hätte ich geschworen, dass er mir, sobald er meinen geliebten alten Tastenkasten zum ersten Mal sieht, stolz auseinandersetzen wird, dass er ein modernes Casio Keyboard mit 3000 Tüdelklängen und Schrummtata-Automatik besitzt. Aber die alten Regeln gelten heute nicht mehr.

»Aber das ist ja ein ... Markus, du hast ein ...«

Schon sitzt er auf dem Hocker.

»Entschuldigung, darf ich …«

Noch während er die Frage in seinen Bart nuschelt, langt er schon zu. Er scheint in einer anderen Welt zu schweben.

Ein Wurlitzer E-Piano ist keine komplizierte technische Angelegenheit. Ein Lautstärkeregler und ein Vibratoregler, das wars. Trotzdem scheitern die meisten schon daran, es überhaupt einzuschalten, weil man erst draufkommen muss, dass man einfach nur den Lautstärkeregler drehen muss, wie bei einem alten Autoradio. Herr Baumer scheint aber sein halbes Leben nichts anderes gemacht zu haben, als Wurlitzer E-Pianos einzuschalten. Und nicht nur das.

Es gibt diese Art von Pianisten, die schlagen kurz zwei Akkorde an, und schon ist New York im Raum. Ich selbst habe das nie gekonnt. Herr Baumer schon. Ich mache wie in Trance den Strawinsky leiser, nehme Daniel auf den Arm und höre zu. Wie er so versunken dasitzt und spielt. Eine Mischung aus Stevie Wonder und Glenn Gould. Ich verstehe die Welt nicht mehr.

*

Eine halbe Stunde später weiß ich alles. Herr Baumer hat Musik studiert. Er war Spezialist für exotische elektronische Instrumente. Trautonium, Theremin, lauter seltsame Namen, die mir nichts sagen. Leider wurden die Stücke, in denen diese Instrumente vorkommen, so selten aufgeführt, dass er sich finanziell gerade so über Wasser halten konnte. Dummerweise hatte er sich ausgerechnet in eine verschwendungssüchtige Frau verliebt. Um zusätzlich Geld zu verdienen, hat er als Klimperpianist auf Kreuzfahrtschiffen gearbeitet. Die Frau

verließ ihn aber trotzdem kurze Zeit später zugunsten eines Versicherungsmanagers. Herr Baumer hatte einen Zusammenbruch, verbrachte kurze Zeit in der Psychiatrie, lernte danach Gisela kennen und will seitdem nichts anderes als »ganz normal Geld verdienen«, wie er sich ausdrückt. Seine Instrumente hat er irgendwo im obersten hintersten Winkel seiner Wohnung eingemottet. Er hat sich geschworen, erst wieder Musik zu machen, wenn er sich eine Wohnung über 150 Quadratmeter leisten kann.

Ich bin benommen, ich bin verwirrt. Noch beim Rausgehen hat er nach meinem neuen Rasierapparat geschielt und offensichtlich wieder seine Hirnrechenmaschine angeworfen. Aber nach allem, was er mir erzählt hat, weiß ich, dass er wohl irgendwie nicht anders kann. Seine erste Frau muss wirklich eine finstere Kreatur gewesen sein. Aus einem Musiker einen komplexgeplagten Versicherungsmakler zu machen. Was für eine kriminelle Energie. Armer Kerl.

Ich höre, wie sich ein Schlüssel im Schloss dreht. Simone.

»Halloo! Ja, was ist denn hier los? Dein großer Auftritt, Markus. Jetzt aber mal flott das Kostüm angezogen.«

Nein! Schon halb fünf! Mein Puls springt mit einem Schlag auf 180.

11 Beton

»Und nun, liebe Freunde des gepflegten Rennsports, ist es endlich so weit: Präsentiert vom Mode-Label Krassdesign, von der Werbeagentur Die Sieben Zwerge und last but not least von Schnufti, dem Erfinder der blauen Windel, erleben wir heute

DAS ERSTEEE BERLINEEER PAPAAAAA-BOBBY-CAR-RENNEEEEEN!!!«

Irgendwas hat der Ansager von Kermit dem Frosch, denke ich mir, während ich den Helm aufsetze.

»In wenigen Sekunden wird der erste Fahrer auf die Piste gehen. Was haben wir auf diesen Augenblick gewartet! Die ganze Stadt ist heiß! Wir wollen wissen, wer der Beste ist! Wer jagt sein Bobby-Car am schnellsten die Piste herunter? Wessen Rennmontur bringt die Modegourmets zum Schwärmen? Wer holt den Gesamtsieg? Wer nimmt den Schnufti-Pokal und den Gutschein für zwei Wochen Eltern-Kind-Urlaub auf Teneriffa mit nach Hause? In zwei Stunden wissen wir es. Und bis dahin, meine Damen und Herren, werden wir ganz sicher ein großes Rennen erleben.«

Der Schnufti-Pokal sieht wirklich scheiße aus. Als hätten sie ihn aus der Glasvitrine bei irgendeinem Provinzfußballclub geklaut. Soll natürlich ein ironisches Zitat sein. Nur den unvermeidlichen Fußballer auf dem Deckel haben sie durch ein Bobby-Car ersetzt. Aber unsere Mülltonne ist zum Glück überaus schluckbereit. Wenigstens gibts noch die zwei Wochen Teneriffa dazu.

Aber wer weiß, ob Simone dann überhaupt mitkommen kann? Zwei Wochen allein mit Daniel im Kinderpool – ich weiß nicht. Aber egal. Es geht um die Ehre.

»Ich darf nun den ersten Fahrer vorstellen: Vom VfB Pixelschubser, normalerweise klebt ihm der Ball am Fuß, heute aber das Bobby-Car unter dem Hintern, hahaha, hier kommt

DANIEEELS PAPAAA!!!

Ich sehe, es gibt noch Diskussionen. Der kleine Daniel scheint nicht einverstanden zu sein, dass sein Papa auf seinem Bobby-Car fährt. Die Mama schaltet sich ein.

Nutzen wir die Gelegenheit, noch einen kurzen Blick auf das Rennoutfit des Fahrers zu werfen. Eine weiße Ledermontur, die zumindest das Herz des pervers veranlagten Teils unseres Publikums höher schlagen lassen müsste, aber wenn ich mich hier so umsehe, dürfte das der weitaus größte Teil sein, hahaha. Wir erinnern uns – die Hälfte der Punkte wird über die Modewertung vergeben. Wollen wir sehen, was unsere verehrte Modejury am Ende sagt. Ich persönlich finde hier den orangen Helm ja eindeutig den Schwachpunkt. Ich sag mal, wenn schon retro, dann richtig, aber ich will hier keinesfalls dem Urteil der Fachleute vorgreifen.

So, Daniel und sein Papa scheinen sich geeinigt zu haben. Das dicke Eis, das Daniel jetzt in den Händen hält, lässt ahnen, dass hier im großen Stil Schmiergeld geflossen ist, aber das braucht uns jetzt nicht zu kümmern. Ich bekomme das Zeichen! Fahrer Nummer 1 ist bereit!

Vier! Drei! Zwei! Eins! Start!

Daniels Papa ist hervorragend weggekommen. Er gilt ja als der Pionier dieses schönen Sports, und man sagt, er kennt diese Strecke wie sein Wohnzimmer. Wird er uns zeigen, wo der Hammer hängt, oder geht er angesichts des hohen Erwartungsdrucks in die Knie? Gleich wissen wir mehr. Er lässt es sehr ruhig und konzentriert angehen. Keine hektischen Bewegungen. Es wirkt geradezu, als wäre die weiße Ledermontur ein Gipskorsett.

Jetzt hat er das Acud passiert. Ich bekomme die Zwischenzeit: 41,6 Sekunden. Das muss erst mal unterboten werden. Es wirkt wirklich souverän, ja geradezu cool, wie Daniels Papa hier seine Linie ins Tal zieht. Auf den Geraden verschenkt er jedenfalls nicht eine Hundertstelsekunde.

Aber jetzt kommt die Schikane. Die Außenplätze der an die Rennstrecke grenzenden Etablissements Bergstübl, Magnetbar und Taebs Bistro sind natürlich bis auf den letzten Platz besetzt. Wird er die Gasse zwischen den Tischen finden? Ja, das sieht gut aus. Sehr elegant, wie er diese tückischen kleinen Kurven nimmt. Einige Gäste schrecken angesichts seines hohen Tempos etwas zurück ... Ouh, ouh, ouh, vor Taebs Bistro hat es jetzt doch eine kleine Kollision gegeben. Aber Daniels Papa rollt weiter. Ich weiß nicht, ob es sich bei dem, was da auf seinem Helm gelandet ist, um ein Falafel oder ein Schawarma handelt. Der Luftwiderstand erhöht sich jedenfalls dadurch erheblich, und die Sesamsoße läuft ihm in Strömen über das Visier. Ob er noch genug sehen kann?

Aber es sind nur noch ein paar Meter zur Ziellinie. Das Publikum ist außer sich und trägt Daniels Papa auf einer Welle der Begeisterung ins Ziel ... Und er hat es geschafft! Eine Minute und 38,6 Sekunden! Das ist die Zeit, die es zu schlagen gilt!

Hat Daniels Papa damit die Latte so hoch gelegt, dass keiner der übrigen zwölf Fahrer mehr an ihn herankommt, oder hat die kleine Kollision vor Taebs Bistro

doch zu viel Zeit gekostet? Und was sagen unsere Modejuroren, die ja ihr Urteil erst am Schluss abgeben werden? Bald wissen wir mehr. Wir sind gespannt, wir sind gespannt ...«

*

»... und es sieht wirklich nicht schlecht aus, was Leons Papa mit der Startnummer 7 uns hier zeigt. Ein vielversprechender Start und ein ruhiger Fahrstil ohne Schnörkel und Pirouetten. Was wird die Zwischenzeit sagen? ... 42,9 beim Acud. Nein, auch Nummer 7 bleibt deutlich hinter der immer noch geltenden Bestzeit von Daniels Papa mit der Startnummer 1 zurück. Der Fahrer vom VfB Pixelschubser ist einfach der Erfahrenste, und diesen Trumpf hat er bravourös ausgespielt. Oder geschieht hier noch ein Wunder? Kann Nummer 7 noch auf den letzten Metern Boden gutmachen? Leons Papa lehnt sich weit zurück, um den Windwiderstand auf ein absolutes Minimum zu reduzieren. Was für ein Einsatz ... Was seh ich da? Er hält an! Sein Bobby-Car steht quer! Was ist passiert? – Achsenbruch! Achsenbruch bei Leons Papa vom Stadtmagazin *Zitty* mit der Startnummer 7! Die Kopfsteineinfahrt von Hausnummer 24 wurde ihm zum Verhängnis. Na, das möchte ich sehen, wie er das dem kleinen Leon beibringt. Der erste Ausfall beim ersten Berliner Papa-Bobby-Car-Rennen! Welche Dramatik erleben wir hier!

Und während sich der nächste Fahrer zum Start bereitmacht, steht der bisherige Mann des Tages neben mir. Daniels Papa vom VfB Pixelschubser. Ja bitte, meine Damen und Herren, Ihr Applaus ist mehr als gerechtfertigt. Daniels Papa, auf ein Wort, was würdest du den anderen raten? Wie kann man hier eine wenigstens annähernd so gute Zeit wie du herausfahren? Gibt es einen Trick?«

»Nun ja, das Wichtigste ist, dass man im unteren Abschnitt so nah wie möglich am Straßenbahnwartehäuschen hinter Taebs Bistro vorbeifährt, um nach der Schikane noch mal Tempo aufzunehmen.«

»Sie haben es gehört, meine Damen und Herren, im unteren Abschnitt so nah wie möglich am Straßenbahnwartehäuschen hinter Taebs Bistro vorbeifahren. Ein Narr, wer sich nicht an Ratschläge aus solch berufenem Munde hält. Vielen Dank, Daniels Papa!

So, Nummer 8 ist inzwischen bereit zum Start. Meine Damen und Herren, für die Agentur Die Sieben Zwerge:

FRITZ-BERTRAAAMS PAPAAA!!!

Was für ein Helm! Meine Damen und Herren, ich habe es schon öfter gesagt, ich sitze nicht in der Modejury, aber dieser Helm – kann es da noch einen Zweifel geben, wer die Modekonkurrenz gewinnt? Nun geht es aber erst mal nur um die Zeit. Fritz-Bertrams Papa ist bereit.

Vier! Drei! Zwei! …

Oh, was sehen wir da? Eine kleine Fahrerin aus dem Nachwuchslager stürzt sich mit dem Laufrad auf die Rennstrecke. Wo kommt die denn auf einmal her? Und was für ein Höllentempo die kleine Dame hier vorlegt – Klara heißt sie, wie ich gerade erfahre … Nehmt ihr die Zeit? Nein? Nun gut, Klara fährt außer Konkurrenz.

Und hier sehen wir auch schon Klaras Mama hinterherlaufen! Auch sie beschleunigt bis ans absolute Limit. Aber wird sie Klaras Vorsprung noch aufholen können? Die Menschenmassen peitschen Klaras Mama nach vorne. Sie kämpft verbissen. Wir haben es hier mit der schnellsten Latzhose vom ganzen Prenzlauer Berg

zu tun, da gehe ich jede Wette ein. Da – sie stolpert über eine schiefe Gehwegplatte! Aber nein, kein Sturz! Bravourös, wie sie hier aus aussichtsloser Lage ihr Gleichgewicht wiederhergestellt hat. Und Klaras Mama holt auf. Meter um Meter kämpft sie sich heran. Uuuuuund jetzt hat sie ihre Kleine geschnappt! Bravo! Applaus für KLARAAAAAAA UND IHRE MAMAAAAAA!

So, die Streckenposten signalisieren uns, dass die Rennstrecke nun für unseren regulären Fahrer mit der Nummer 8 frei ist. Fritz-Bertrams Papa ist startklar. Die Stoppuhren auch.

Vier! Drei! Zwei! Eins! Start!

Oh, man sieht auf den ersten Blick, er meint es ernst. Mit kraftvollen Beinstößen bringt er das Bobby-Car auf Touren und versucht auf die Ideallinie einzuschwenken. Also, wenn er dieses Tempo ins Tal bringt, dann ist was drin, da bin ich mir sicher. Gleich hören wir die Zwischenzeit vom Acud. Kann ein Rennen spannender sein …?

40,6!!! Das gibts nicht! Er hat tatsächlich als Erster die Bestzeit geknackt! Und wir erinnern uns, dass Daniels Papa im unteren Drittel noch ein kleines Malheur hatte, das ihn zusätzlich Zeit gekostet hat. Mit anderen Worten: Fritz-Bertrams Papa kann den Sack hier zumachen! Jetzt kommt alles darauf an, dass er die Schikane gut meistert. Das Bergstübl hat er geschafft … Jetzt die Magnetbar. Nach den Erfahrungen mit den vorhergehenden Fahrern weichen die Leute noch mehr zurück und machen den Weg frei. Auch die Magnetbar hat unsere wackere Nummer 8 ohne Schnitzer geschafft … und Taebs Bistro auch! Meine Damen und Herren, wenn alles mit rechten Dingen zugeht, sehen wir hier tatsächlich einer neuen Bestzeit entgegen!

Fritz-Bertrams Papa schwenkt nun nach links. Wir erinnern uns: So nah wie möglich am Straßenbahnwartehäuschen hinter Taebs Bistro vorbeifahren, das war Daniels Papas Tipp. Und ich glaube, er wird sich in diesem Moment nichts sehnlicher wünschen, als dass er seinen Tipp für sich behalten hätte. Zu menschlich, zu menschlich … Aber was ist das? Mir scheint, Fritz-Bertrams Papa ist just neben dem Straßenbahnwartehäuschen in einen gigantischen Hundehaufen hineingefahren … Ja, die Kollegen bestätigen es mir hier eben per Funk. Das linke Vorderrad unserer Startnummer 8 ist von zähem Kot blockiert. Der Schwung ist dahin. Fritz-Bertrams Papa muss mit den Füßen nacharbeiten. Das reicht nicht mehr für die Bestzeit. Kann denn das wahr sein! So wenige Meter vor dem Ziel …«

*

»… und der zwölfte und letzte Fahrer des heutigen Tages bereitet sich nun auf den Start vor. Seine Frau hat mir verraten, dass er heute so aufgeregt war, dass er zweimal ohne Schlüssel aus dem Haus gegangen ist und zu guter Letzt auch noch seinen Tankdeckel an der Tankstelle vergessen hat. Aber das war vorhin. Jetzt wird er uns hoffentlich mit einem souveränen Ritt über das Trottoir beeindrucken. Für die Garantia Versicherungsagentur mit der Nummer 12 am Start:

GRETAAAS PAPAAAA!!!

Modisch gesehen spielt er die sportliche Karte aus. Türkisgrüner Jogginganzug mit – man achte auf die Feinheiten – türkisgrünem Helm. Ich könnte mir vorstellen, dass er mit diesem Outfit montagvormittags in Berthas Bierquelle durchaus Eindruck schinden kann, aber ob er auch unsere Modejury überzeugt? Wir werden sehen. Jetzt gilt es erst einmal, gegen die immer

noch geltende Bestzeit anzufahren: Die sagenhaften eine Minute und 38,6 Sekunden von Daniels Papa. Bereit, Gretas Papa?

Vier! Drei! Zwei! Eins! Start!

Gut, spontan würde ich sagen, wir haben heute schon andere Fahrer schneller aus den Boxen kommen sehen, aber wir wissen auch spätestens seit Fritz-Bertrams Papa, dass das Rennen erst im unteren Drittel gewonnen wird. Also warten wir ab ... und, oho, mir scheint, Gretas Papa legt langsam an Tempo zu. Mensch, Mensch, Mensch, der wird doch nicht etwa verbotenen Kraftstoff getankt haben? Der wird ja immer noch schneller. Warten wir auf die Zwischenzeit ...

Das gibt's nicht! 34,1 Sekunden beim Acud! Gretas Papa deklassiert das ganze Feld. Und er rollt unaufhaltsam weiter. Ja, er ist mehr so der Typ Dampflok. Kommt langsam in Fahrt, aber dann ist er nicht mehr zu stoppen.

Jetzt die Schikane. Die Gäste des Bergstübl stieben kreischend auseinander. Hier will definitiv keiner zur falschen Zeit am falschen Ort sein. Auch das Magnetbar-Publikum teilt sich wie einst das Meer vor Moses. Und jetzt Taebs Bistro. Da! Ein Stuhl fliegt hoch und landet auf der Markise! Aber sonst scheint nichts passiert zu sein. Gretas Papa rast dem sicheren Sieg entgegen. Nicht einmal eine ganze Tagesration Neuköllner Hundehaufen könnte ihn bei dem Tempo noch stoppen.

Er überquert die Ziellinie! Eine Minute und ... 2,4 Sekunden! Mehr als eine halbe Minute schneller als Daniels Pap... Oh, oh, was ist hier los? Gretas Papa bringt sein Bobby-Car nicht mehr zum Stehen. Er rast auf die Brunnenstraße zu und stemmt vergeblich seine Hacken aufs Pflaster ... Spring ab, spring ab! ... Und er springt im letzten Moment ... Das Bobby-Car rast unkontrolliert auf die Brunnenstraße, aber Gretas Papa scheint unverletzt zu sein. Er steht wieder auf. Wir können durchatmen.

Ein Kleinwagen rast auf unser Sieger-Bobby-Car zu und kann nicht mehr ausweichen. Seis drum. Die kleine Greta wird diesen Verlust wohl angesichts des grandiosen Sieges ihres Papas verschmerzen können ... Aber was ist das? Das Auto, das unser Bobby-Car gerammt hat, überschlägt sich und bleibt auf dem Dach liegen. Ein Aufschrei des Entsetzens geht durch die Menge ... Wer soll das hier noch begreifen? Der Kleinwagen liegt auf dem Dach und dreht sich. Die Streckenposten eilen herbei, stoppen das Gekreisel und öffnen die Tür ... Der Fahrer steigt aus. Er sieht benommen aus ... aber er steht! Ein Hoch auf die Gurtpflicht, meine Damen und Herren! Und ich glaube, ich brauch jetzt erst mal einen Schluck ...«

*

Wir sitzen erschöpft vor unseren Bieren in unserem Fahrerlager im Acud-Biergarten. Manche Fahrerfrauen kneten ihren Männern den Rücken. Simone wurde zwar leider noch zu einem wichtigen Meeting abberufen, aber es ist schon okay. Allein dass ich aus der stickigen Lederkluft rauskann, ist Erholung genug. Außerdem hält ein von Schnufti-Windeln gesponsortes Kaspertheater Daniel und die anderen Kinder in Schach.

Nach und nach dringen aktuelle Nachrichten und Hintergrundberichte zu uns durch. Herrn Baumers Bobby-Car war deswegen so irrwitzig schnell, weil er es mit Beton ausgegossen hatte. Gut 50 Kilo wiegt es, wie die unfallaufnehmenden Polizeibeamten festgestellt haben. Schwerer Körper + schräge Ebene + Physikunterricht 10. Klasse = Wir hatten alle nicht die geringste Chance gegen ihn.

Herr Baumer sitzt seit einer halben Stunde im Polizeiauto und wird verhört. Gefährlicher Eingriff in den Straßenverkehr, Mordversuch, Landfriedensbruch – keine Ahnung, was für Stricke sie ihm gerade alle daraus drehen. Hätte er sich natürlich denken können, dass er seine wildgewordenen 50 Kilo nicht rechtzeitig zum Stehen bringt. Und dass ein Kleinwagen, der mit vollem Tempo auf einen Betonklotz auffährt, ziemlich verschnupft reagiert, liegt natürlich auch auf der Hand. Trotzdem tut er mir erst einmal ganz schön leid. Wollte halt unbedingt gewinnen. Dummer kleiner Junge.

Die Juroren klettern aufs Podium. Es wird still. Zuerst das Urteil der Modejury. Die Modeprofessorin, eine fünfzigjährige Dame mit blonder Kurzhaarfrisur und randloser Brille, ergreift das Wort.

»Liebe Freunde des Sports!

Junge Männer und Mode, das geht nicht immer gut zusammen. Auch heute – wir wollen es nicht verschweigen – mussten wir das oft erkennen.«

Hat sie jetzt mich angeschaut? Ich könnte schwören, sie hat mich angeschaut.

»Umso erfreulicher fanden wir es, dass sich einer unter euch in einem Maße hervorgetan hat, wie wir es niemals erwartet hätten. Wir sind tief beeindruckt und verneigen uns vor einer Kreation, in der Banales und Sinnliches miteinander Tango tanzen, einer Schöpfung, in der Urkraft zu Stoff wird und Stoff zu Urkraft, einer Komposition, aus der das Lebensgefühl unserer Stadt herausstrahlt wie das Lachen des Dalai-Lama.«

Ich sehe mich vorsichtig um. Nein, die anderen gucken genauso verständnislos drein wie ich.

»Wir verneigen uns vor heldenhafter Souveränität, die anmutig und mit leichter Hand über den Teufel der Beliebigkeit triumphiert, vor einem Meisterwerk, in dem

Farbe, Form und Material so einträchtig im gleichen Boot sitzen, dass uns die Tränen der Rührung kamen. Wir verneigen uns vor einer Kreation, deren Erschaffer alles hat, was man von einem großen Künstler – ja, ich sage ganz bewusst: großen Künstler – erwarten kann: Mut, Energie, Vision, Fingerspitzengefühl und eine gehörige Portion Genie. Wir verneigen uns vor – Ludger Baumer.«

Unsere Kiefer klappen so weit herunter, dass wir von Glück reden können, dass es keine Maulsperre zu beklagen gibt. Es gibt keinen Zweifel. Die Dame hat gerade Herrn Baumers türkisgrünen Jogginganzug heiliggesprochen. Aber gegen das Wort einer Koryphäe sollte man lieber nicht andiskutieren.

Im gleichen Moment stolpert Herr Baumer blass, verstört und knapp einer Verhaftung entgangen aus dem Polizeiwagen zurück zu uns. Kurze Stille, dann bricht spontaner Jubel los, wir schnappen ihn und werfen ihn in die Luft.

Der Moderator ergreift das Wort.

»Meine Damen und Herren, ich bitte um Ruhe. Nachdem nun unsere verehrte Modejury ihr ebenso überraschendes wie weises Urteil gesprochen hat, kommen wir zur Gesamtwertung. Eine kurze Vorbemerkung: Es kamen Stimmen auf, dass einer unserer Fahrer aufgrund einer unzulässigen technischen Manipulation am Bobby-Car disqualifiziert werden müsste. Die Regelkommission hat sich dazu beraten und einstimmig festgestellt, dass kein Regelverstoß vorliegt – ganz einfach, weil vorher irgendwie keiner daran gedacht hat, überhaupt Regeln aufzustellen, hahaha. Damit dürfte es auch keinen Zweifel mehr daran geben, wer der Gesamtsieger ist. Aber dazu später. Viel spannender ist jetzt erst mal, wer den Kampf um die Plätze gewonnen hat.«

Stille. Ich sehe Becker an, Becker sieht mich an.

»Beginnen wir mit dem dritten Platz. Dritter Sieger im ersten Berliner Bobby-Car-Rennen iiiiiiist ...«

Nein, bitte! Ich fang zu heulen an, wenn er jetzt Danieeels Papaaa sagt.

»KEINEEER!«

Hä?

»Warum keiner, meine Damen und Herren? Ganz einfach – es gibt einen geteilten zweiten Platz. Und ich will Sie nicht länger auf die Folter spannen: zweiter Platz Zeitwertung, achter Platz Modewertung DANIEEELS PAPAAA und achter Platz Zeitwertung, zweiter Platz Modewertung FRITZ-BERTRAAAMS PAPAAA!«

Was? Das kann nicht sein Ernst sein. Es hilft nichts. Ich muss gemeinsam mit Becker vortreten und aufs Treppchen. Zeit und Mode gleich stark werten – wer hat sich das bloß ausgedacht? Becker streckt mir die Hand hin. Zum Glück kann ich kein Jiu-Jitsu, sonst würde ich jetzt vielleicht etwas Unüberlegtes tun.

Das matte Höflichkeitsgeklatsche verebbt schnell.

»Meine Damen und Herren, und nun bitte ich um grenzenlosen Applaus für den Star des Tages:

DEN SCHRECKEN ALLER KLEINWAGENFAHRER!

DEN MODEMAGIER VOM PRENZLAUER BERG!

DEN SOUVERÄNEN SIEGER ALLER KLASSEN IM ERSTEN BERLINER BOBBY-CAR-RENNEEEN!

GRETAAAS PAPAAA!

LUDGEEEER BAUMEEEEEEEEEEEEER!!!!!«

Als dem verdatterten Herrn Baumer der Pokal und der Reisegutschein in die Hand gedrückt werden, kennt der Jubel keine Grenzen mehr. Wir werfen ihn so hoch, dass man ihn bis zum Rosenthaler Platz sehen kann. Nur der Durst bringt uns schließlich dazu, von ihm abzulassen und uns wieder unseren Getränken zuzuwenden.

Das Kaspertheater neigt sich inzwischen dem Ende

zu. Der Kasper fragt die Kinder noch einmal ab, ob die Lehren der Geschichte verstanden wurden.

»Und welche Windeln sollen eure Eltern das nächste Mal kaufen, damit euch das Krokodil nicht in den Po beißt?«

»Schnufti!«

»Und welche Farbe haben die Schnufti-Windeln?«

»Blau!«

»Und was schreit ihr ganz laut, wenn eure Eltern weiße Windeln kaufen wollen?«

»Blaue Windeln! Blaue Windeln! Blaue Windeln! Blaue Windeln!«

Leider ist das Schnufti-Kaspertheater so stabil gebaut, dass es nicht einstürzt, als es von elf gleichzeitig aus der Fahrerecke geworfenen Bierflaschen getroffen wird. Ich fange gerade an, mich zu wundern, warum es nicht zwölf Bierflaschen waren, als ich neben mir Becker in sich hineingrinsen sehe.

Alles klar. Schnufti-Windeln. Wichtigster Kunde der Werbeagentur Sieben Zwerge. Creative Director: Armin Becker. Er hat sich diese teuflische Blauwindel-Quengelterror-Verkaufsstrategie ausgedacht!

Während ich nach einer weiteren Bierflasche suche, um sie ihm auf den Dez zu zimmern, kommt Daniel zu mir.

»Ich muss Pipi.«

Mir läuft ein warmer Schauder den Rücken runter. Seit Monaten versuche ich ihn zu überreden, mir Bescheid zu sagen, wenn er Pipi machen muss, damit wir endlich mit dem Klotraining anfangen können. Bisher dachte er gar nicht dran und machte einfach weiter seine Windeln voll, während links und rechts von uns immer mehr Kinder trocken wurden. Ich kann mein Glück kaum fassen.

»Du musst Pipi? Jaha, dann wollen wir mal auf die Toilette gehen, was?«

»Ja, weil wenn ich den Pipi in die weiße Windel mach, dann kommt das Krokodil und beißt mich in den Po.«

Sieh an, sieh an, Becker. Der Schuss ging wohl nach hinten los.

Dreißig Sekunden später macht Daniel zum ersten Mal in seinem Leben Pipi in eine Toilette. Ich pfeife fröhlich vor mich hin, als wir wieder zu unserem Platz schlendern, und nehme im Vorbeigehen eine Flasche Sekt vom Tresen mit. Wie einfach die Dinge manchmal sein können, denke ich mir, während ich mich hinsetze und Becker angrinse.

»Aber wir müssen noch blaue Windeln kaufen, Papa!«

Jetzt grinst Becker.

»Ich habe aber gehört, dass die Krokodile alle blauen Windeln aufgefressen haben. Stimmt doch, Becker, oder?«

Ich bedrohe ihn hinter Daniels Rücken mit der Sektflasche.

»Hm, ja, stimmt, glaub ich.«

»Aber dann muss ich jetzt immer den Pipi und den Kacka aufs Klo machen?«

»Exakt. Und von dem Geld, das wir für die Windeln sparen, kaufen wir Onkel Becker einen Lutscher.«

Ha.

Klingeling! Klingeling!

Eine rätselhafte Nummer auf dem Display.

»Hallo?«

»Guten Tag. Spreche ich mit Herrn Heisenkamp?«

»Kann schon sein, wer isn dran?«

»Golden Globe Venture Capital. Mein Name ist Helene Wendenstein. Wenn Sie Herr Heisenkamp sind, würde ich Sie gerne für einen Moment sprechen. Es ist wichtig.«

»Papaaa, ich will dann aber auch einen Lutscher!«

»Ja, du kriegst zehn Lutscher … Entschuldigung, binsofortdran … wenn du jetzt still bist! … Ja, hallo, Frau Wendelstein. Was kann ich … Ich meine …«

»Es geht um Folgendes, Herr Heisenkamp. Sie hatten uns in einem Brief kurz eine Geschäftsidee geschildert. Herr Dr. Bredenau würde sich sehr gerne mit Ihnen unterhalten. Er hat gesagt, dass er zwar normalerweise keine Sondierungsgespräche führt, ohne dass ein qualifizierter Businessplan vorliegt, aber Ihre Idee schien ihm so interessant, dass er sich gerne kurz Zeit nehmen würde, um Sie kennenzulernen.«

»Oh, das freut mich sehr.«

»Sind Sie terminlich flexibel?«

»Ja, so, doch, einigermaßen, ja.«

»Dann kommen Sie bitte morgen um 9:30 Uhr zum Flughafen Tegel, Konferenzraum B 41. Herr Dr. Bredenau hat einen Zwischenstopp auf seinem Flug nach Luxemburg. Er bittet darum, dass Sie ihm in aller Kürze Ihre Idee in strukturierter Form aufbereitet präsentieren. Sie haben eine Viertelstunde Zeit.«

»So, ja, eine Viertelstunde, okay.«

»Gut, dann sage ich Herrn Dr. Bredenau, dass Sie kommen. Wollen Sie es sich noch einmal notieren? Morgen, 9:30 Uhr, Flughafen Tegel, Konferenzraum B 41. Sollten Fragen auftauchen, rufen Sie bitte bei mir an. Golden Globe Venture Capital, Helene Wendenstein. Meine Nummer haben Sie empfangen?«

»Doch, ja, hab ich empfangen.«

»Bestens. Ich wünsche Ihnen noch einen schönen Abend. Auf Wiederhören, Herr Heisenkamp.«

12 Gefühle

Es ist zwei Uhr morgens. Die Luft hat sich kaum abgekühlt, und obwohl ich das Fenster sperrangelweit offen stehen habe, ist es stickig. Das gilt aber nur für den Raum. In meinem Kopf ist alles leicht und klar. Ich habe ausgeschüttet, was drin war. Die Idee, der Plan, die Vision, alles ist jetzt hier vor mir auf meinem Laptop-Bildschirm in einer entzückenden Powerpoint-Präsentation ausgebreitet. Noch ohne Bilder, aber auch so schon sehr schick. Es wollte seit Monaten raus. Alles, was ich brauchte, war ein wenig Zeitdruck.

Es geht um Gefühle

Wir beherrschen:

- das Land
- die Luft
- das Wasser
- die Pflanzen
- die Tiere (na ja, außer die ganz kleinen)

Wir beherrschen nicht:

- unsere Gefühle!

<Bild>

Collage: Daniel als Baby, Scarlett Johansson und die irre Indianerin aus Le Sacre du Printemps

Was wäre ...

- Wenn wir unsere Gefühle bewusst steuern könnten?
- Wenn wir selbst entscheiden könnten, wie wir gerade sein wollen, z. B.
  - lustig,
  - entspannt,
  - verliebt?

- Es gäbe:
  - keine Kriege mehr
  - weniger Krankheiten
  - Wir würden ruhig wie Planeten in einem perfekt abgestimmten Sonnensystem unsere Bahnen ziehen.

<Bild>

Collage: Schnappschuss von Becker im Fußballdress (schimpfend, weil er glaubt, dass er gerade gefoult wurde), und Atompilz

Aber sind Gefühle steuerbar?

- JA! Jeder Depp weiß es. Unsere Gefühle kommen durch chemische Prozesse in unserem Körper zustande. Botenstoffe, Glückshormone und so weiter. Unser Gefühlszentrum ist eine Maschine, die man nur mit den richtigen Stoffen pflegen muss, wenn sie nicht richtig rund läuft.

- Es gibt viele Möglichkeiten Botenstoffe, Glückshormone und all das zu erzeugen:
  - Worte
  - Musik
  - Gerüche
  - Streicheleinheiten
  - Farben
- Wir müssen es nur tun!

Collage: Buchstaben, Noten, Kunst, Hand

Das Feelgoood-Konzept

- Mit feelgoood.com können die Menschen, eine dieser Möglichkeiten systematisch zu nutzen - nämlich die Farben

- Funktionsweise
  - Nutzer ruft feelgoood.com auf und loggt sich ein.
  - Gewünschten Gefühlsmix über den Gefühlskonfigurator auswählen
  - Der feelgoood-Server errechnet die Farben, die angezeigt werden müssen, um den gewünschten Gefühlszustand zu erreichen.

- Geschäftsmodell
  - kostenpflichtiger Online-Service mit Abomöglichkeit und Familienermäßigung

<Bild>

Collage: Benutzeroberfläche des Gefühlskonfigurators und glückliche Gesichter aus der Zahnpastawerbung

Stand des Projekts

- Um Feelgoood zur Produktreife zu bringen müssen lediglich noch
  - Die Auswirkungen von Farben auf unsere „körpereigene Chemiefabrik" mit der gebotenen Präzision erforscht werden.
  - Irgenwie die Probleme mit den unterschiedlichen Farbdarstellungen bei verschiedenen Internetbrowsern, Betriebssystemen und Monitoren gelöst werden.

<Bild>

Gutaussehende Frau bei konzentrierter Laborarbeit

Zeitplan

- 2006/Quartal 3 – 2007/Quartal 1
  - Unternehmensgründung
  - Sicherung der Finanzierung
  - Bezug der Firmenräume
  - Mitarbeiterakquise

- 2007/Quartal 2
  - Abschluss der Forschungs- und Entwicklungsphase

- 2007/Quartal 3 – 2008/Quartal 3
  - Testphase
  - Markteinführung
  - begleitende Nachbesserungen

- 2008/Quartal 1
  - Börsengang

<Bild>

Collage: Finanzchart, das steil nach oben führt, und Geldscheine

Okay, jetzt muss ich nur noch die passenden Bilder zusammensuchen und einfügen.

*

Geschafft. Die Bilder sind drin. Mann, was hab ich lange an diesem blöden Gefühlskonfigurator gesessen. Inzwischen ist es halb vier, aber ich bin kein bisschen müde. Ich gehe ein letztes Mal alle Folien durch.

Perfekt.

Besser, als ich es mir jemals hätte vorstellen können. Tja, Herr Dr. Bredenau, das ist wohl die Chance Ihres Lebens. Besser, Sie lassen Ihren Termin in Luxemburg morgen dann gleich mal sausen.

Laptop:

Praktischer kleiner Klappcomputer. Kann man überallhin mitnehmen und ist hervorragend als Statussymbol geeignet. Wird unter anderem benutzt, um Präsentationen vor wichtigen Leuten abzuhalten. Vor besonders wichtigen Terminen geht man seine Präsentation gerne noch einmal am Frühstückstisch durch. Gelegentlich stellt man dabei fest, dass das, was man in der vergangenen Nacht noch überzeugend fand, doch ein wenig dünn aussieht.

Kakao:

Aus den aufbereiteten Früchten des Kakaobaumes und Milch zubereitetes Lieblingsgetränk von Daniel. Könnte er den ganzen Tag trinken. Vor allem aber zum Frühstück. Manchmal kippt er ihn um, wie alle Zweieinhalbjährigen. Ist eigentlich nicht weiter schlimm. Wir haben keine Tischdecke auf dem Küchentisch und Fliesen auf dem Fußboden.

Festplatte:

Zentraler Bestandteil eines Computers. Speichert Daten und spuckt sie auf Befehl wieder aus. Festplatten leisten unglaubliche Dinge, dafür sind sie aber auch sehr empfindlich. Zum Beispiel gehen sie sofort kaputt, wenn man sie mit Flüssigkeit übergießt. Dabei ist es völlig egal, ob es Salzsäure oder Kakao ist.

Backup:

Sammlung von Sicherheitskopien, die man von wichtigen Dateien anlegt, damit man, wenn eine Originaldatei verlorengeht, lachend ein gleichwertiges Duplikat aus dem Ärmel hervorholen kann. Interessant ist, dass Leute, die Backups anlegen, immer hässlich und unkreativ sind und dicke Brillen tragen. Schöne und begehrenswerte Menschen legen dagegen niemals Backups an.

Helene Wendenstein:

Rechte Hand von Dr. Bredenau von Golden Globe Venture Capital. Reagiert auf telefonisch erteilte Auskünfte wie »mein Laptop wurde soeben auf offener Straße von vier bewaffneten Männern mit Anzügen, Sonnenbrillen und amerikanischem Akzent geraubt, mich wollten sie auch kidnappen, aber ich bin ihnen entkommen« ausgesprochen kurzatmig.

Nein, ich möchte nicht mehr dazu sagen.

*

Ich habe meine schlimmen Shorts an. Meine schlimmen Shorts sind dunkelblau und haben viele, viele Taschen. Man könnte sogar sagen, die Hosenbeine bestehen ausschließlich aus Taschen. Große Taschen, mittlere Taschen, kleine Taschen, Taschen mit Reißverschlüssen, Taschen mit Klettverschlüssen, Taschen mit Druckknöpfen, für Handys, für Nagelscheren, für Steckschlüsselsätze. Wenn es nur um den Stauraum ginge, könnten es meine schlimmen Shorts sogar mit meiner Papatasche aufnehmen, aber ihnen fehlt natürlich die lässige Eleganz.

Normalerweise gehe ich nie in Shorts durch die Stadt. Eine Ausnahme mache ich gerade mal, wenn es über

dreißig Grad heiß ist und ich sicher bin, dass ich den ganzen Tag niemanden treffen werde, den ich schätze. Und selbst dann entscheide ich mich nie für meine schlimmen Shorts, sondern wähle aus zwei anderen Modellen aus, die man, abgesehen davon, dass es Shorts sind, als halbwegs akzeptable Kleidungsstücke bezeichnen könnte. Meine schlimmen Shorts ziehe ich nur im Strandurlaub an, und auch dann erst ab dem dritten Tag, wenn Salzwasser und Rotwein meine Prinzipien weichgespült haben.

Simone versichert mir zwar Jahr für Jahr, dass meine schlimmen Shorts gar nicht so schlimm sind und dass ich sie von ihr aus ruhig öfter tragen kann, aber ich bin sicher, dass sie dabei irgendwas im Schilde führt, was weiß ich, vielleicht mich heimlich filmen und das Ganze bei irgendeiner Die-lustigsten-Videos-der-Welt-Sendung einschicken. Nein, nicht mit mir. Die schlimmen Shorts bleiben im Schrank. Da bin ich eisern.

Normalerweise.

Nach dem Laptop-Knockout von heute morgen war mir aber alles wurscht. So wurscht, dass ich einfach mal meine schlimmen Shorts angezogen habe. Es ist elend heiß, ich trotte ziellos mit dem Kinderwagen durch den Prenzlauer Berg und bin müde und deprimiert. Die Papatasche ist zu Hause geblieben. Ich habe die wichtigsten Sachen herausgenommen und in den schlimmen Shorts verstaut, die mit ausgebeulten Taschen wahrscheinlich noch einen Tick dämlicher aussehen, als sie es ohnehin tun.

Keine Ahnung. Vielleicht will ich mich bestrafen. Und weil ich gerade keine von diesen praktischen Eselsmützen zur Hand hatte, die Tick, Trick und Track immer in der Schule tragen mussten, habe ich eben die schlimmen Shorts genommen. Vielleicht will ich so auch meiner Umwelt signalisieren, dass ich unglücklich bin und Trost brauche. Ich weiß es nicht.

Fakt ist, dass ein halber Becher Kakao ausgereicht hat, um feelgoood.com sterben zu lassen. Die Menschen werden weiter ihren unkontrollierten Emotionen ausgeliefert sein, und unser Lamborghini Miura ist innerhalb einer halben Sekunde von Greifnähe in interstellare Entfernungen katapultiert worden.

Ich kann Daniel nicht böse sein, weil er schon wieder das Lied vom kleinen Has singt. Aber selbst wenn, was hätte ich tun sollen? Ihm meine schlimmen Shorts anziehen?

Apropos, eins muss ich ja sagen. Ich habe schon fast vergessen, wie angenehm es sich ohne Umhängetasche läuft. Vielleicht sollte ich doch öfter meine schlimmen Shorts anziehen? Ich habe keine Band mehr und werde auch keine börsennotierte Internetfirma führen. Ich bin einfach nur ein Papa mit Kinderwagen. Ich meine, hey, mal ganz ehrlich, wie viele Leute auf der Oderberger Straße interessiert es, wie ich herumlaufe? Und genau das denken sich wahrscheinlich die unzähligen anderen Schlimme-Shorts-Träger auch und genießen Tag für Tag, wie ihr Beinhaar vom zarten Sommerwind gestreichelt wird. Hallo, Kollegen, jetzt hab ichs auch kapiert. Ich bin jetzt einer von euch.

»Papa! Da, Eis!«

Was für ein Adlerauge. Wir sind noch fast einen halben Kilometer von der Eisdiele weg.

»Okay, Daniel. Das wird uns sicher guttun.«

Es kann noch so sehr Hochsommer sein, wochentags vormittags gibts fast nie eine Schlange vor der Eisdiele. Abgesehen davon haben wir sowieso Zeit ohne Ende. Einziger Pflichtprogrammpunkt heute Vormittag: zu Andi in die Brunnenstraße spazieren und den orangen Helm

zurückgeben, der vor mir im praktischen Kinderwageneinkaufsnetz hängt und gegen meine Knie schlägt.

Vor uns ist ein anderer Papa mit seiner Tochter, die gerade strahlend ihre Eistüte in Empfang nimmt. Ach nein, sah nur von weitem so aus. In Wirklichkeit heult sie und weigert sich, die Eistüte in Empfang zu nehmen.

»Aber was hast du denn? Das ist eine Kugel Erdbeer und eine Kugel Heidelbeer. Genau, wie du es dem Mann gesagt hast.«

»Buhuu, aber das ist nicht Heidelbeer.«

»Doch, guck. Hier ist der große Heidelbeereistopf, okay? Und da ist deine Heidelbeereiskugel. Jetzt halt das mal ganz nah an die Scheibe. Und jetzt vergleichen wir mal. Hat genau die gleiche Farbe und auch die dunklen Tupfer, oder? Also, alles okay.«

»Buhuu, aber ich wollte die Heidelbeerkugel oben, buhuu!«

»Ach so. Na gut, dann ess ich das Eis. Könnten wir dann bitte noch mal das Gleiche haben, nur mit Heidelbeer oben? … Danke. Guck mal, Charlotta, hier ist dein Eis. Mit Heidelbeer oben.«

»Buhuu, aber ich will Streusel draufhaben.«

»Ist ja gut. Wusste ich nicht. Wolltest du doch sonst nicht. Also, könnten wir bitte noch Streusel …? Danke. So, hier, Charlotta, jetzt lass es dir schmecken.«

»Aber ich wollte die Streusel aus dem anderen Glas, buhuu.«

»Charlotta, in dem Glas sind genau die gleichen Streusel wie in dem anderen. Komm, ich heb dich hoch, dann kannst dus sehen.«

Kaum ist sie oben, knallt Charlotta ihr Eis so heftig auf die frisch geputzte Glasplatte, dass die Waffel splittert.

»Aber ich will ein neues Eis mit Streuseln aus dem anderen, buhuu!«

Der Papa kreuzt seinen Blick mit meinem. Wir brauchen nicht zu sprechen. Wir verstehen uns blind. Sein Blick sagt: »Ich weiß, ich könnt ihr jetzt auch einfach eine scheuern, aber irgendwie kannste das heute nicht mehr bringen, oder?« Und mein Blick sagt: »Nee, haste recht. Kannste irgendwie heute nicht mehr bringen. Machste schon richtig. Halt durch.«

Daniel guckt ehrfürchtig von unten hoch zur heulenden Charlotta. Sein Blick sagt: »Bisher dachte ich immer, ich wäre der Beste. Aber das Mädel hat Sachen drauf, Jungejunge, ob ich da jemals heranreiche?«

Fünf Minuten später heult Charlotta immer noch, aber ihr Vater schiebt sie jetzt einfach entschlossen nach draußen. Wir sind dran. Daniel will das gleiche Eis wie immer und versucht gar nicht erst, Charlottas Show zu überbieten. Schlauer Kerl.

Wir schlendern mit Charlotta und ihrem Papa zum Hirschhofspielplatz. Meine Hoffnungen auf ein angeregtes Parkbankgespräch von Papa zu Papa zerschlagen sich aber, denn Charlotta und Daniel bauen natürlich nicht brav gemeinsam unter unseren Augen Sandburgen. Nein, Daniel bevorzugt es, in der einen Ecke des Spielplatzes auf eine halbkaputte, zwei Meter hohe Mauer zu steigen, während sich Charlotta in der gegenüberliegenden Ecke mit der Kette der Kinderschaukel zu erwürgen versucht. Bis zur Mittagessenszeit habe ich mit dem netten anderen Papa gerade mal drei Sätze gewechselt. Aber wer weiß, vielleicht trotzdem der Beginn einer wunderbaren Freundschaft.

Jetzt müssen wir aber hurtig zu Andi. Daniel hängt schon ein bisschen in den Seilen, weil jetzt eigentlich das Mittagessen und das anschließende Schläfchen dran sind. Ich muss gut aufpassen. In dieser Phase neigt er zur Hysterie. Dann reicht ihm der kleinste Anlass, um

komplett auszurasten. Und dann brüllt er durch, bis er entweder im Bett liegt oder am Mittagstisch sitzt. Wenn es sein muss, auch eine ganze Stunde und mehr.

Dieses Spazierengehen geht mir heute ohnehin ganz schön auf den Sack. Da schweifen die Gedanken umher und landen natürlich immer wieder bei heute Morgen.

Kein Backup.

Ich will ein Unternehmen gründen, mache aber keine Backups von meinen Dateien. Vollidiot. Die schlimmen Shorts sind eigentlich noch viel zu gut für mich.

Ich muss irgendwie die deprimierenden Gedanken verdrängen. Vielleicht an Sex denken? O ja, wir hatten guten Sex in diesem Dortmunder Hotel. Endlich mal wieder – und dann ausgerechnet da. Doch ich schaffe es weder, mir diese noch irgendeine andere der unzähligen glorreichen Szenen Simones und meines Sexlebens ins Gedächtnis zurückzurufen, ohne dass sich Daniel ins Bild schleicht und an ihren Brüsten nuckelt. Ob sich das jemals wieder legt? Wer weiß, vielleicht hätte mein Feel-goood-Gefühlskonfigurator in einer weiterentwickelten Version auch bei solchen Problemen geholfen.

Und damit wäre ich wieder beim Thema. Mist.

Und keine andere Ablenkung weit und breit. Nur die öde Bernauer Straße mit ihrem verwahrlosten ehemaligen Todesstreifen.

Was solls. Ich kann ja Daniel einen kleinen Geschichtsvortrag halten. Warum nicht? Wenn wir schon mal da sind.

»Guck mal, Daniel, siehst du da die Linie mit den dunklen Steinen im Boden? Da war früher die Berliner Mauer. Da konnten die Leute nicht drüber.«

»Und ist die Mauer jetzt nicht mehr da?«

»Nein, die haben die abgerissen. Jetzt kann man wieder durch. Das ist doch fein, oder?«

»Aber haben die die Mauer kaputtgemacht?«

Verflixt. Nur zwei Sätze gesagt und schon in der Falle. Ob ich da noch rauskomme?

»Nein, nein, die haben nicht die ganze Mauer kaputtgemacht. Da hinten haben sie noch ein kleines Stück stehenlassen.«

»Aber haben die die Mauer in lauter kleine Stücke geschnitten?«

»Na ja, in gewissem Sinne ...«

»Aber die können die jetzt nicht mehr wieder aufbaun?«

»Doch, klar, wenn du das unbedingt willst, können die die Mauer wieder aufbaun. Kein Problem. Können die gleich morgen mit anfangen ...«

»Aber ich glaube ... die können die Mauer nicht mehr aufbaun. Die haben die in lauter ... kleine Stücke ... geschnitten ... Buhuu!«

Was habe ich vorhin über Daniels hysterische Anfälle gesagt? Warum halte ich nicht meine Klappe? Superdoppelriesenvollidiot.

»Schschsch, Daniel, beruhig dich. Wir gehen jetzt zu Andi. Der ist lustig. Wirste sehen.«

Ich schiebe den Kinderwagen so schnell ich kann die Bernauer Straße runter. Hier haben sich früher alte Damen aus den Fenstern gestürzt, um in den Westen zu kommen, hier hat die DDR-Führung einen ganzen Häuserzug abgerissen, um den Todesstreifen durchzuziehen, unter unseren Füßen haben todesmutige Verzweifelte wochenlang Fluchttunnel geschippt, um ihre Familien zu sich zu holen ...

»Ich will ... die Mauer ... wiederham!!! Ich will die – Mauer ... wiederham!!! Ich ... will ... die Mauer wiederham!!! Ich will ... die Mauer ... wiederham!!!«

»Ruhig, Daniel, ganz ruhig.«

»ICH WILL DIE ... MAUER ... WIEDERHAM!!! ICH ... WILL ... DIE MAUER WIEDERHAM!!! ICH WILL ... DIE MAUER ... WIEDERHAM!!! ICH WILL DIE ... MAUER – WIEDERHAM!!! ICH ... WILL ... DIE MAUER WIEDER-HAM!!! ...«

Okay, Markus, du schiebst gerade ein Kind die weltberühmte Bernauer Straße runter, und es brüllt aus Leibeskräften, dass es die Mauer wiederhaben will. Das ist zugegebenermaßen ein ziemlicher Streifen. Aber sieh die positiven Seiten. Wenigstens musst du nicht mehr an die versaute Präsentation von heute Morgen denken. Und überhaupt – hättest du ein anderes geschichtliches Thema ähnlich ungeschickt angeschnitten, würde dein Sohn jetzt womöglich »Ich will den Hitler wiederham!« brüllen. Musst du auch mal so sehen ...

Da, endlich die Brunnenstraße. Ich fege um die Ecke. Mit jedem Meter, den wir uns von der Bernauer Straße entfernen, geht es mir ein wenig besser, auch wenn Daniel mit jedem Schritt immer noch lauter brüllt.

158, 159, 160. Geschafft. Hier wohnt Andi.

»ICH WILL DIE ... MAUER ... WIEDERHAM!!! ICH ... WILL ... DIE MAUER WIEDERHAM!!! ICH WILL ... DIE MAUER ... WIEDER ... HAM!!! ICH WILL DIE ... MAUER ... WIEDERHAM!!! ICH ... WILL ... DIE MAUER WIEDER ... HAM!!! ...«

Mach schnell, Andi. Bitte, bitte! Ah, der Türsummer.

Daniel hat sich inzwischen in einen anderen Bewusstseinszustand gebrüllt. Seine Pupillen sind irgendwo unter seine Augenlider geglitten wie bei einem Voodoopriester in Trance. Ich schnappe ihn mir, stürme in den zweiten Stock und renne Andi in der Tür fast über den Haufen.

»Was ist denn hier los?«

»Erklär ich dir später. Hast du Fischstäbchen?«

»Fischstäbchen?«

»Fisch-stäb-chen!«

»Puh, na ja, mussma gucken ...«

Andi hat Fischstäbchen. Ich bin gerettet. Wenige Minuten später sitzen wir an seinem Küchentisch, und ich schiebe Daniel einen Fischstäbchenhaps nach dem anderen in den Mund.

»Gesunden Appetit hat der Kleine, was?«

»Sein bisheriger Rekord liegt bei fünf.«

»Das geht ja richtig ins Geld. Sag mal, warum wollte er denn vorhin unbedingt die Mau...?«

»Könntest du dies Wort bitte nicht mehr benutzen, solange wir hier sind? Sag einfach Jägerzaun stattdessen.«

»Mannomann, ich werde mir das wirklich noch mal gut überlegen, ob ich eines Tages auch so einen Kleinen will. Hat der eigentlich auch irgendwelche Vorteile?«

»Aber ja. Du wirst es nicht glauben, aber seit gestern kann er Bescheid sagen, wenn er aufs Klo muss.«

»Aha.«

»Verstehst du nicht? Er braucht keine Windel mehr.«

»Verstehe. Ist ja fantastisch.«

Jede Spielplatzmama versteht mich besser als mein alter Fußballkumpel. Traurig ist das.

Nachdem Daniel fertig ist, sage ich Andi tschüss. Daniel schläft schon ein, während ich noch dabei bin, ihn in den Kinderwagen zu setzen. Schön. Dann werde ich mich jetzt in eins der vielen netten Cafés setzen und die Beine von mir strecken. Ich habs mir redlich verdient.

Erst mal die Veteranenstraße hoch. Wow. Die Leute in den Cafés drehen sich nach mir um. Na ja, ich war ja auch immerhin der Zweitschnellste gestern. Und vor allem: schneller als Becker. Aber ich will hier nicht sitzen. Diese plötzliche Prominenz. Da kann ich noch nicht

so richtig mit umgehn. Lieber irgendwo am Zionskirchplatz …

Arrgh. Da sitzt Becker. Ganz allein. Und er hat mich gesehen. Nichts zu machen. Muss der nicht arbeiten? Mal gucken, vielleicht komm ich mit Hallosagen davon. Aber wie sieht er denn aus? Und die Flasche Riesling auf seinem Tisch? Hat der die etwa alleine fast leer getrunken?

»Markus, setz dich zu mir.«

»Alles klar bei dir?«

»Ha! Nichts ist klar. Hier, nimm dir 'n Glas.«

Es ist elend heiß, und die Weißweinflasche ist so gut gekühlt, dass sie außen beschlägt. Zu diesem Angebot kann man schwer nein sagen.

Die meisten meiner Freunde fallen ja in die Alkohol-löst-die-Zunge-Kategorie. Aber Becker ist die große Ausnahme. Je mehr Oktan er im Kanister hat, umso mehr schweigt er. Eigentlich sehr angenehm. Nur wüsste ich jetzt zu gerne, was er da eben gemeint hat, von wegen nichts ist klar. Ich muss mich sehr überwinden, aber nachdem die ersten Rieslingatome in meinem Hirn angekommen sind, frage ich ihn.

»Und nichts ist klar, oder was?«

»Gar nichts.«

»Lass mich raten, Fritz-Bertram …«

Mir bleiben die Worte im Hals stecken. Becker sieht mich so an, wie er mich noch nie angesehen hat. Wie ein Abenteurer, der nach vielen Jahren Reisen nach Hause kommt und hört, dass seine Mutter inzwischen gestorben ist. Es ist wahrscheinlich das erste Mal, dass ich sein Gesicht ganz nah vor mir habe und nicht am liebsten sofort reinschlagen würde. Er spricht leise und ernst, obwohl man seine Fahne wahrscheinlich noch unten in Taebs Bistro riechen kann.

»Also: Fritz-Bertram schläft nicht durch. Ich wollte dich damit bloß ärgern.«

Oho.

»Genau gesagt, Fritz-Bertram schläft nachts eigentlich gar nicht nennenswert.«

Dafür hat Becker sich bis jetzt aber gut gehalten.

»Mal ganz ehrlich, Markus, ist das nicht eine Scheißwelt, in der wir leben?«

Och nee, Becker. Fang nicht an zu langweilen. Erzähl doch lieber weiter. Dein Riesling ist übrigens großartig. Ich weiß zwar, dass man seinen Sommerdurst nicht ausschließlich mit Wein löschen soll und ganz besonders nicht in der Mittagshitze, aber wenn es jemals in meinem Leben einen Zeitpunkt gegeben hat, sich zu betrinken, dann jetzt.

Becker schweigt beharrlich. Wartet drauf, dass ich ihn frage, warum das eine Scheißwelt ist. Mach ich aber nicht. Nach und nach rückt er dann doch von selbst raus mit der Sprache: Seine Freundin Pamela hat einen neuen Job und verlangt von ihm, dass sie sich jetzt die Nachtarbeit mit Fritz-Bertram teilen, die sie vorher alleine gemacht hat.

Eigentlich brauchte er nur fünf Sätze, um mir das zu sagen, aber bis er die ausgesprochen hat, sind wir schon bei der zweiten Flasche Riesling. Obwohl ich schon ziemlich im Egal-Nebel schwimme, frage ich mich, warum er sich deswegen so gehenlässt.

Dann kommt der zweite Teil der Geschichte. Becker hat bei den Sieben Zwergen gesagt, dass er das nächste halbe Jahr aus familiären Gründen weniger arbeiten will, dann haben sie ihn wochenlang gemobbt, und heute hat er endgültig das Handtuch geworfen. Deswegen Scheißwelt und so weiter.

Inzwischen haben wir die dritte Flasche aufgemacht.

»So ist das. Solange du funktionierst, sind sie nett, und erst wenn du ein Problem hast, siehst du, was für Sackgesichter das sind.«

»Tja, so siehts aus.«

»Dabei hab ich das Konzept mit der blauen Schnufti-Windel erfunden. Damit sind wir in diesem Jahr in drei Wettbewerben nominiert, verstehst du? Übrigens, dein Daniel meldet sich gerade, glaub ich.«

Was?

Ach ja, ein Kind hatte ich auch dabei. Warum wacht der jetzt schon auf? Ich nehme noch schnell einen großen Schluck.

»Na, Daniel, gut geschlafen?«

Er heult los. Mist, hab ich eine Fahne? Oder merkt er sonst irgendwie, dass ich Schlagseite habe? Kinder sollen ja einen siebten Sinn für Gemütszustände ihrer Eltern haben. Ist mir irgendwie ganz schön peinlich.

»Was ist, Daniel? Komm, ich nehm dich mal auf den Schoß.«

Er schreit immer weiter. Wahrscheinlich hab ich zu sehr gelallt. Das irritiert ihn.

»Also, wenn du mich fragst, muss der aufs Klo.«

Respekt, Becker. Sehr scharf kombiniert, obwohl du noch mehr getrunken hast als ich. Nur leider zu spät. Daniel hat sein Geschäft schon gemacht. Unterhose, Hose, Sandalen, alles schwimmt, und er brüllt wie am Spieß.

Jetzt erst mal die Papatasche her. Ach so, hab ich ja heute nicht dabei. Ich beginne ungelenk, die prall gefüllten Taschen meiner schlimmen Shorts zu durchwühlen. Plastiklöffel und Pixibücher fallen auf den Boden. Ich finde ein Kondom, meine alten Hausschlüssel und zwei Dichtungsringe, aber keine Wechselklamotten. Irgendwie habe ich vergessen, die umzupacken. In meinem Kopf pfeift es. Alkohol in der Hitze geht wunderbar, solange du dich nicht bewegst. Aber wehe, du fängst dann damit an.

Mir ist schwindelig. Und irgendwie ist mir alles egal, obwohl ich weiß, dass mir eigentlich auf keinen Fall alles egal sein sollte. Daniel brüllt immer lauter. Kein Wunder. Was mach ich bloß? Am besten ihm einfach die vollgepissten Klamotten anlassen und schnell nach Hause, oder? Shit, mein Urteilsvermögen ist gerade im Urlaub.

»Kann ich Ihnen helfen, junger Mann?«

Die alte Dame mit der Gehhilfe, die mir gerade auf die Schulter getippt hat, scheint es ernst zu meinen.

»Ach, ist nicht nötig. Ich geh mal schnell nach Hause mit ihm.«

Ob sie wohl auch meine Schlagseite bemerkt hat?

»Mit den nassen Sachen? Kommt nicht in Frage.«

Kein Zweifel. Sie hat es bemerkt. Wenigstens denkt sie pragmatisch.

»Sie bleiben jetzt hier sitzen, und ich hole dem Jungen was zum Anziehen.«

Widerspruch zwecklos. Wie peinlich. Wie erbärmlich. Wenigstens ist Becker dermaßen mit seiner Selbstmitleidsnummer beschäftigt, dass er darauf verzichtet, sich kaputtzulachen.

Keine fünf Minuten später kommt die alte Dame mit einer Unterhose, einem Sockenpaar und, auweia, einer karierten Latzhose wieder.

»Habe ich beim Kindersecondhandshop um die Ecke gekauft. Müssten passen. Wollen Sie es versuchen?«

Oder sind Sie zu blau? Den Nachsatz hat sie netterweise verschluckt. Ich mobilisiere alle Kräfte und ziehe dem schreienden Daniel die Pipiklamotten aus. Als ich beginnen will, ihm den neuen Klamottensatz anzuziehen, fährt sie energisch dazwischen.

»Ziehen Sie ihm die hier an.«

Sie hält mir irgendwas Weißes vor die Nase.

»Das ist zwar eine von meinen, aber das ist jetzt egal.«

Ah, eine Seniorenwindel. Becker schielt einen Moment lang interessiert von der Seite, aber dann fällt ihm ein, dass er seit heute beruflich nichts mehr mit Windeln zu tun hat, und brütet weiter.

Die Seniorenwindel ist viel zu groß, aber meine forsche Helferin ist nicht mehr zu bremsen und organisiert auch noch Paketkordel zum Festbinden. Ich folge den Befehlen, und Daniel beruhigt sich wieder etwas. Die Dame wartet, bis ich fertig bin.

»Sind Sie sicher, dass ich Sie jetzt allein lassen kann?«

Sie sieht mich lange kritisch an, während in ihrem Kopf ein Film mit allen besoffenen Volltrotteln, die ihr im Lauf ihres langen Lebens in den Hafenspelunken der Welt über den Weg gestolpert sind, herunterrattert. Am Ende ordnet sie mich anscheinend in die harmlose, halbwegs verantwortungsbewusste Kategorie ein, denn sie verabschiedet sich tatsächlich und kramt auch nicht an der nächsten Ecke ihr Seniorenhandy mit extragroßen Tasten heraus, um die Polizei zu rufen.

Mir reicht es. Ich verabschiede mich von Becker und schiebe los. Wann habe ich mich zum letzten Mal so gedemütigt und schlecht gefühlt? Ich nehme mein Handy und wähle Simones Nummer aus dem Telefonbuch. Sie muss heute arbeiten. Irgendwelche schwerwiegenden Ereignisse. Ich habs nicht ganz kapiert, was sie mir da gestern Nacht ins Ohr genuschelt hat, als sie um zwei endlich nach Hause kam. Und als ich heute aufwachte, war sie auch schon weg. Soll ich wirklich? Betrunkener arbeitsloser Ehemann stört Frau in der Arbeit. Gibt es etwas Jämmerlicheres?

Ich drücke den grünen Knopf, auch wenn ich sicher bin, dass ich es lieber nicht tun sollte.

»Markus, bist du es?«

»Ja, tschuldigung, ich stör sicher gerade.«

»Ja, nein, egal. Ist was passiert?«

»Ja, nein, ach, ich weiß auch nicht.«

»Markus, falls es dich interessiert, unser Vorstandsvorsitzender ist gestern rausgekantet worden, übermorgen ist Aktionärsversammlung, und wir haben eben Wind davon bekommen, dass die Briten eine feindliche Übernahme planen. Also, was ist los?«

»Ach nein. Ist schon alles in Ordnung. Ich wollte nur mal deine Stimme hören.«

»Sag mal, bist du betrunken?«

»Wer jetzt, ich?«

»Entschuldige, bin nur gerade höllisch unter Druck. Pass auf, kann ich dich nachher anrufen?«

»Äh ja, klar.«

»Gut, bis später dann. Und gib Daniel einen dicken Schmatz von mir.«

Kein Schmatz für mich. Aber ist schon richtig. Versager. Krieg nichts auf die Reihe und nehm nicht mal Wechselklamotten mit, während mein Kleiner noch in der Klo-Probezeit ist. Hätte Simone lieber jemand anderen nehmen sollen. Becker zum Beispiel. Hat die blaue Windel erfunden. Oder Baumer. Legt einfach so mit einem Bobby-Car einen Kleinwagen aufs Kreuz. Was für Männer!

Da kommt Bandmutter-Karsten die Kastanienallee rauf. Oder besser gesagt, der Mann, der früher mal Bandmutter-Karsten war. Jetzt ist er Laptop-und-Freundin-an-der-Hand-Karsten.

»Hallo, Karsten.«

»Hallo, Markus, hallo, Daniel. Das ist Anne, und das hier musst du dir unbedingt mal anhören.«

Noch während er redet, hat er den Laptop gezückt und hochgefahren. Ich finde es ja schon grenzwertig, Laptops in Cafés aufzuklappen. Aber hier, mitten auf der Kastanienallee? Muss das sein?

Karsten hat auch noch einen überdimensionalen Kopfhörer aus seiner Tasche gefingert und mir über die Ohren gestülpt. Eine Sekunde später bin ich nicht mehr in der Kastanienallee, sondern im Weltraum, und irgendwelche Weltraumvögel zwitschern mir in die Ohren. Danach bin ich in irgendeinem Proberaumkeller, und der härteste Gitarrist der Welt bringt seinen Amp zum Explodieren, und danach wiederum fährt mir ein schneller R&B-Beat in die Knochen, und ein übermenschlicher Bläsersatz fegt sämtliche Dächer in der Umgebung weg.

»Na, was sagst du?«

»Bin platt.«

»Muss weiter. Annes Mutter hat Geburtstag. Brauchen noch Blumen. Aber lass uns mal wiedersehen, okay?«

Wow. Karsten und Blumen. Den hat Anne ja in kürzester Zeit völlig umgekrempelt.

Ich beschließe spontan, zu Saturn zu fahren und Laptops anzugucken. Ich brauche ja jetzt einen neuen. Überhaupt, irgendwie wieder Musik machen. So ohne Ehrgeiz. Nur mal wieder auf der Bühne stehen. Ja, der Gedanke zieht mich ein bisschen hoch.

Wir schnappen uns die U8 und fahren zum Alex. Ich muss vorsichtig sein. Keine Aufregungen mehr. Nur kurz ein paar Laptops ansehen und Daniel im Blick behalten. Dann ab nach Hause. Und das moderne Ballett wird heute unauffindbar sein.

Selbst in den U-Bahn-Schächten ist es heiß. So heiß, dass man nicht wahrhaben will, dass es draußen noch heißer sein könnte. Es ist aber noch heißer.

»Papa, da! Der Grillwohker.«

Verflixt, was ist mit meinen Reflexen? Nichts funktioniert mehr. Der Riesling hat mich verlangsamt. Daniel ist aus dem Kinderwagen gesprungen und schießt zwischen den Beinen der Menschenmassen davon, ohne dass ich ihn zu fassen kriege. »Na gut«, denke ich mir. »Gibt es halt wieder eine Thüringer. Hab schon Schlimmeres überlebt.« Ich fixiere den Grillwalkersonnenschirm, der wie ein römisches Feldzeichen hoch über der Menschenmenge aufragt, und halte darauf zu. Dann sehe ich, wie der Schirm schwankt und langsam umfällt. Schon früher bei den Römern hat das in der Schlacht nichts Gutes bedeutet, wenn ein Feldzeichen umfiel. Und wenn ein Grillwalkerschirm umfällt, dann ist auch klar, dass da gerade ein ganzer Grillwalker zu Boden gegangen ist. Samt Grill. Muss wohl über irgendwas gestolpert sein.

»DANIEL!«

Das war noch lauter als neulich im Supermarkt. Aber niemand beachtet mich. Alle sind mit dem gestürzten Grillwalker beschäftigt. Gerade, als ich damit beginne, nach einer Machete zu suchen, um mir damit einen Weg freizuhauen, merke ich, dass Daniel schon wieder an meinem Bein hängt.

»Der Grillwohker hat mir auf den Fuß getretet.«

Ich sehe mich um. Keiner nimmt von uns Notiz.

»Die Wurst ist runtergefallt. Kannst essen.«

Er hält eine leicht beschmutzte, halbgare Thüringer hoch. Im Hintergrund sehe ich, dass die Leute den Grillwalker mit vereinten Kräften wieder auf die Beine gestellt haben. Er hat es also zumindest überlebt.

»Daniel, wir haun ab. Schnell.«

Rein in den Untergrund. Zehn Sekunden später sitzen wir in einer U-Bahn und sausen davon. So, erst mal hinsetzen, durchatmen und neu orientieren. Wir

befinden uns in der U2. Richtung Ruhleben. Noch ein paar Stationen, dann sind wir am Potsdamer Platz. Da ist auch ein Saturn, denke ich mir, während Daniel die halbgare Thüringer in mich reinstopft. Dort kennt uns noch keiner.

Hätten wir eine andere U-Bahn als Fluchtfahrzeug benutzt, hätte ich mich sicher eher nach Hause orientiert. Meine Kraft- und Nervenreserven gehen inzwischen dermaßen gegen null, dass mich, wenn ich eine Computerspielfigur wäre, jeder verantwortungsvolle Computerspieler erst mal für längere Zeit ins virtuelle Lazarett gesteckt hätte. Aber die Aussicht auf einen neuen Laptop mobilisiert ja oft auch noch die letzten männlichen Kraftreserven. Und wenn wir schon mal in der richtigen U-Bahn sitzen ...

Am Potsdamer Platz spucke ich, als Daniel kurz nicht aufpasst, die noch nicht heruntergeschluckten Reste der halbgaren Thüringer in einen Mülleimer. Dann versuchen wir Kurs auf die Shopping Mall zu nehmen. Irgendwie habe ich es hier noch nie geschafft, auf Anhieb den richtigen Weg zum Eingang zu finden. Unglaublich, wie viel Volk heute auf den Beinen ist. Was machen die nur alle hier? Und unhöflich sind sie auch noch. Ich bin schon dreimal kräftig angerempelt worden, ohne dass sich jemand entschuldigt hätte. Ich glaube, ich tue wirklich gut daran, diese Gegend hier normalerweise zu meiden.

Langsam merke ich, dass die Menschen alle in eine Richtung streben und wir unerbittlich mitgezogen werden. Als Teenager bin ich mal in München in den Sog des Oktoberfesthaupteingangs geraten. Ich war mit dem Fahrrad unterwegs und versuchte ganz naiv den Menschenstrom zu durchqueren. Es wurden immer mehr Leute. Ich musste absteigen, wurde aber trotzdem immer weiter abgetrieben. Mein Fahrrad war wie ein Treibanker, der mich in ein schwarzes Loch zog. Ehe ich michs versah, hatte ich einen besoffenen Drei-Zentner-Lederhosenmann auf dem Gepäckträger sitzen, der um keinen Preis der Welt wieder absteigen wollte. Die Menschen ballten sich so dicht um mich und meinen lallenden Fahrgast, dass ich mich nicht einmal mehr umdrehen konnte. Am Ende ließ ich das Fahrrad Fahrrad sein und rettete mein nacktes Leben.

Genau in dieser Situation stecke ich jetzt. Bevor ich merke, was da läuft, ist schon alles zu spät. Der Buggy steckt hoffnungslos im Gewühl und zieht mich mit in die Richtung, in die heute anscheinend alle wollen. Ich kann nur noch den Griff sehen. Was mit Daniel ist, ob er noch sitzt, ob ihn jemand geklaut hat oder ob sich ein Drei-Zentner-Mann auf ihn gesetzt hat, keine Ahnung. Die Panik gibt mir genug Kraft, um mich zu ihm durchzuwühlen. Ich reiße ihn hoch und setze ihn auf meine Schultern. Der Buggy geht irgendwo in den drängelnden Massen unter. Jetzt geht ein Raunen durch die Menge. Digitalknipsen werden hochgehalten und fangen an, Blitze zu spucken. Der Sog hält weiter an. Es geht schnurstracks in eine Richtung, ohne dass ich irgendwie Einfluss darauf nehmen könnte. Irgendwann ist die Menschenleiberdichte aber so groß, dass nichts mehr vorangeht. Von hinten wird aber erbarmungslos weiter gedrückt und geschoben. Ich werde geknufft und gepufft und schwanke in alle Richtungen. Ein Glück, dass ich hier wenigstens nicht umfallen kann. Daniel thront hoch über allem und quietscht vor Vergnügen.

»Papa! Blitzt!«

Der Druck von hinten wird immer größer, aber die Menschenwand vor mir gibt nicht nach. Ich bekomme kaum noch Luft und fange an, Sterne zu sehen. Gibt

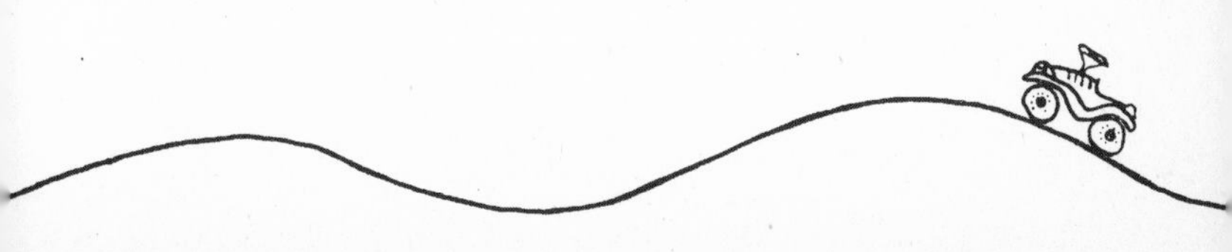

es hier irgendwo einen Zwei-Meter-Hünen mit breiten Schultern, dem ich Daniel anvertrauen kann, bevor ich das Zeitliche segne? Ich brauche ein Wunder. Lange Zeit geschieht nichts. Ich staune, wie viel Überlebenswille nach einem Tag wie diesem noch in mir steckt. Wenn Daniel nicht auf meinen Schultern säße, wer weiß, vielleicht würde ich jetzt die Spannung aus all meinen Muskeln nehmen und einfach mal sehen, was passiert.

Kurz bevor alles zu spät ist, geschieht doch ein Wunder. Die Menschenmauer öffnet sich einen Spalt, und ich stolpere in eine schmale Gasse. Gleich mehrere Zwei-Meter-Hünen in schwarzen Anzügen bahnen vor uns den Weg. Hinter uns schlagen die Wellen wieder zusammen, als wären wir Moses. Wo geht es hin? Je weiter wir vorankommen, um so mehr leuchten die Gesichter der Menschen um uns herum. Ist das Glück oder Wahnsinn? Was wollt ihr alle hier?

Plötzlich geht es nicht mehr weiter. Wir stehen vor einer Art Podest. Ich höre Frauenstimmen von oben. Eine der Stimmen nähert sich meinem Ohr.

»Dürfen wir ihn kurz auf den Arm nehmen?«

Warum nicht? Einer Frau schlägt man diese Bitte nur ab, wenn sie offensichtlich betrunken ist. Daniel quietscht, und meine Schulterblätter seufzen vor Erleichterung. Um uns herum setzt ein Blitzlichtgewitter ein, wie ich es noch nie erlebt habe. Ich schaue nach oben. Die Perspektive ist ungewohnt. Man sollte einer Frau nicht unter den Rock schauen. Aber wenn es Beine wie diese sind, kann man beim besten Willen nirgendwo anders hinsehen. Die Riesen mit den schwarzen Anzügen schirmen mich zwar so gut es geht nach hinten ab, aber ich werde trotzdem nach wenigen Sekunden aus meiner Pole-Position gestoßen und taumle einen Meter weiter nach rechts. Mein Blick wandert an den Beinen hoch über das kurze enge Kleid und den glitzernden Schmuck. Mitten in diesem himmlischen Kunstwerk aus Alabasterhaut, teurem Stoff und Brillanten thront Daniel und nimmt Kontakt mit der Dame auf.

»Guck mal, blitzt doll!«

Ich kann das Gesicht der Frau mit den wunderbaren Beinen nicht sehen. Sie hält ihn so auf dem Arm, dass er es vor mir verdeckt. Hallo! Ich möchte auch gerne von Ihnen auf dem Arm gehalten werden. Wann komm ich dran? Als hätte sie meinen Wunsch gehört, dreht sie sich langsam nach rechts. Eine weitere Blitzwelle fegt über meinen Kopf, und Daniel quietscht. Jetzt kann ich sie sehen. Die Haare, die Nase, die Augen, die Lippen.

Das kann nicht sein. Das darf nicht sein.

Eine der Damen hinter ihr flüstert ihr etwas ins Ohr und zeigt auf mich. Sie sieht mich an und lächelt. Daniel findet das nicht in Ordnung und beginnt, um ihre Aufmerksamkeit zu kämpfen.

»Ich hab hier einen Popel.«

Neeeeiiiiin! Und ich habe auch noch meine schlimmen Shorts an. Mir ist schlecht. Baumer, Becker, Simone, Tante Hilda, das Bobby-Car, die irre Indianerin, der Laptop, die Seniorin mit der Windel, der Grillwalker, alle fangen an, um meinen Kopf herumzukreisen. Und von ferne höre ich Frau Wendensteins angenehme Telefonstimme. Ich rufe irgendwas, und dabei wird mir schwarz vor den Augen.

*

Es gibt Sätze, die darf heute kein Drehbuchautor mehr verwenden, weil sie schon so abgegriffen sind. Wenn zum Beispiel der Hauptdarsteller in Ohnmacht fällt und

dann irgendwo von besorgten Ärzten und Angehörigen umgeben wieder aufwacht, darf er auf keinen Fall »Wo bin ich?« sagen. Das ist einfach viel zu Old School.

Eine Zeitlang haben sich die Autoren mit dem Satz »Margret, ich hatte einen fürchterlichen Traum« beholfen. Damit hatten sie erstens das »Wo bin ich?« elegant umkurvt, und zweitens konnte der in Ohnmacht Gefallene anschließend seinen fürchterlichen Traum schildern, um sich danach von Margret aufklären zu lassen, dass er nicht geträumt hat, sondern dass alles wirklich so passiert ist, was dann meist einen guten Lacher gab. Aber auch das geht heute nicht mehr. Wer in unseren Zeiten als Drehbuchautor einen Ohnmächtigen wieder aufwachen lassen will, steht vor einer echten kreativen Herausforderung.

Aber das wirkliche Leben hat nichts mit Filmdrehbüchern zu tun. Ich wache auf und gucke direkt auf eine dieser grauen Plastiktriangeln, die immer über Krankenhausbetten baumeln, damit schwache Patienten sie greifen und sich an ihr aufrichten können. Pfiffig, wie ich bin, könnte ich natürlich schlussfolgern, dass ich im Krankenhaus bin, aber weil mir reichlich nebulös zumute ist und weil etliche anteilnehmende Gesichter in meinem peripheren Blickfeld herumschweben, die nur darauf warten, etwas von mir gefragt zu werden, sage ich einfach mal: »Wo bin ich?«

Simones vertrautes Antlitz löst sich aus dem Gesichterkreis und rückt ins Zentrum. Außerdem fühle ich, wie sie meine Wange streichelt. Sie spricht langsam und sanft. Es klingt, als habe sie ihre Sätze gemeinsam mit den Ärzten sorgfältig vorbereitet.

»Bleib ganz ruhig, Markus. Du bist im Krankenhaus. Du hattest einen Nervenzusammenbruch, aber der Chefarzt sagt, mit ein bisschen Ruhe wird das bald wieder.

Daniel geht es auch gut. Er steht hier neben mir und will dich schon die ganze Zeit mit Gummibären füttern, damit du wieder gesund wirst. Und sei beruhigt. Wir haben die feindliche Übernahme erst mal abgewehrt, und um den ganzen Rest kümmert sich jetzt Dr. Gerlach. Ich hab Urlaub genommen und kann mich um alles kümmern.«

»Simone, ich hatte einen fürchterlichen Traum.«

»Was denn, mein Schatz?«

Mir entgeht nicht, wie sie einen besorgten Blick mit einem der Weißkittel austauscht.

»Ich bin mit Daniel in eine außer Kontrolle geratene Menschenmenge am Potsdamer Platz geraten und kam nicht mehr raus. Irgendwo sind wir dann gegen eine Bühne gestoßen. Auf der Bühne stand Scarlett Johansson und hat Daniel auf den Arm genommen, und Daniel hat ihr einen frischen Popel gezeigt, und ich hatte meine schlimmen Shorts an.«

Bevor Simone etwas sagt, sieht sie noch mal den Weißkittel an. Der zögert kurz und nickt dann.

»Okay, Markus. Das war kein Traum. Das ist wirklich passiert. Es war zu viel Stress für dich. Du bist dann einfach kollabiert. Frau Johansson war völlig verstört. Sie hat Daniel nicht mehr von ihrem Arm gelassen, bis sie ihn bei mir abliefern konnte. Sie ist wirklich sehr nett. Und du wirst es nicht glauben, sie stand bis eben gerade noch h…«

Jetzt schüttelt der Weißkittel energisch den Kopf, und Simone bricht den Satz ab.

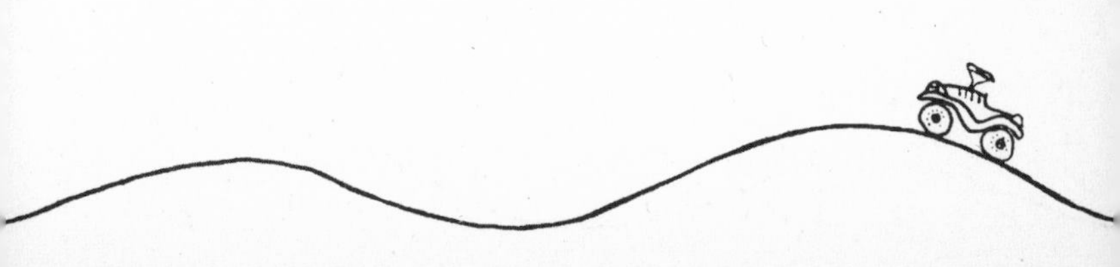

Epilog

»Hui! Hui! Hui! Hui!
Hui! Hui! Hui! Hui!«

Inzwischen sind viele Monate vergangen. Es ist allerhand passiert.

»Hui! Hui! Hui! Hui!
Hui! Hui! Hui! Hui!«

Simone ist ins Top-Management der NBW-Group aufgestiegen. Duisburg ist abgestiegen. Ich habe die wilden Waldwatze komplett gekriegt. Tante Hilda hat eine Modeboutique in Berlin Mitte eröffnet. Herr Baumer ist drei Tage nach dem Bobby-Car-Rennen völlig durchgeknallt, hat eine Vorstandssitzung irgendeiner Versicherung gestürmt und dort blankgezogen. Danach war er ein paar Tage in der Geschlossenen, aber seit er wieder raus ist, geht es ihm besser denn je. Und Becker hat vor einem Monat in einem Keller in der Kastanienallee den *Bobby-Car Klub* eröffnet. Schummerlicht, anspruchsvolle Getränke, richtungsweisende Musik und die strengste Tür der Stadt. Jeder, der auch nur irgendwie mit einer Werbeagentur zu tun hat, kommt nicht rein.

»Hui! Hui! Hui! Hui!
Hui! Hui! Hui! Hui!«

Wir stehen auf der kleinen Bühne rechts neben der Bar und bringen den Raum zum Kochen. Wir, das sind Herr Baumer, Bandmutter-Karsten und ich. Karsten ist der erste Musiker der Welt, der Umhänge-Laptop spielt.

Und *wie* er spielt. Wir hören gleichzeitig ein Marimbaorchester, hundert Geigen, einen sechzehnköpfigen Bläsersatz und eine Rhythm Section, die selbst Booker T Respekt eingeflößt hätte. Und es klingt, als würden die virtuellen Musiker nicht auf der Bühne stehen, sondern im Publikum umherwandern.

Auf der anderen Seite der Bühne sitzt Herr Baumer vor meinem Wurlitzer und verschiedenen anderen museumsreif wirkenden Elektroinstrumenten. Er schickt die abenteuerlichsten Klänge der Welt in den Raum und lässt sie in tausend Varianten über Karstens Rhythmusteppichen tanzen. Jede Sekunde eine neue Überraschung, und alles passt, als hätte er nie etwas anderes gemacht. Leute, die in sein Gesicht blicken, sehen pures Glück aus seinen Augen strahlen. Die meisten konzentrieren sich aber auf sein Outfit. Heute ist es ein türkisfarbener Jogginganzug mit weißen und blauen Diagonalstreifen auf der Brust.

Im Publikum stehen ebenfalls einige Männer mit türkisfarbenen Jogginganzügen. Es sind aber noch die Modelle von letzter Woche mit den magentafarbenen Bündchen. Gleich morgen werden sie Tante Hildas Modeboutique stürmen und ihr die neue Kollektion, die Herr Baumer gerade vorführt, aus den Händen reißen. Kaum zu glauben. Wenn mir vor einem Jahr jemand erzählt hätte, dass dieser Mann einmal eine Stilikone sein wird, wäre ich vor Lachen die Wände hochgegangen.

»Hui! Hui! Hui! Hui!

Hui! Hui! Hui! Hui!«

Vorne stehe ich und singe. Aber nicht mit der Schreistimme. Karsten hat mich überzeugt, dass ich mich doch ein wenig überschätzt habe. Viel zu säuselig, meinte er, und er hatte recht. Aber er hat mich damit auf die entscheidende Idee gebracht. Ich singe Heavy-Metal-

Hits. Mit Säuselstimme. Auf Deutsch. Begleitet von Umhänge-Laptop und Baumerschen Elektronikklängen.

»Ich bin TNT, hui,
bin Dynamit.
Ich bin TNT
und bring den Beat.
Ich bin TNT,
ich bin Leidenschaft.
Ich bin TNT.
Fühl meine Kraft!
Hui! Hui! Hui! Hui!
Hui! Hui! Hui! Hui!«

Easy Papa Metal. Der Trend ist nicht mehr zu stoppen. Ich sehe im Hintergrund A&R-Manager verschiedener Major Labels sitzen, die nervös auf eine Chance warten, sich gegenseitig heimlich K.o.-Tropfen in den Drink zu kippen.

Das Publikum wiegt sich im Takt. Einige ganz Mutige versuchen sich im Paartanz. Direkt vor der Bühne hat sich ein kleiner Kreis gebildet. Im Zentrum steht Daniel und führt verwegene Ballettfiguren vor. Um ihn herum tanzen Klara, Greta und Biker-Walter und machen Headbanging. Weiter hinten schweben einige bekannte Gesichter in der Menge. Ich kann nicht so gut sehen, weil mich die Scheinwerfer blenden, aber hin und wieder erkenne ich jemanden. Hubert und Dörte sehen etwas verstört aus. Meine Fußballkollegen hatten schon ein paar Drinks zu viel und flirten alle gleichzeitig mit Kindergarten-Claudia. Frau Baumer gönnt sich ein Flaschenbier und prostet Bandmutter-Karstens Freundin zu. Tante Hilda ist gut gelaunt wie immer und hat ein Auge auf die Kinder. Und daneben stehen tuschelnd, kichernd und bestens gelaunt Annette und Simone.

Es ist definitiv unser letzter Song. Easy-Papa-Metal-

Bands spielen grundsätzlich keine Zugaben, weil man ja auch irgendwann ins Bett muss. Wir geben natürlich noch mal alles.

»Ich bin TNT, hui,
bin Dynamit.
Ich bin TNT,
ich bring Hit auf Hit.
Ich bin TNT,
ich bin ein Tier.
Ich bin TNT.
Ich explodier!«

Meine Bandkollegen schütteln definitiv das Letzte aus ihren Instrumenten. Karsten drückt einen Geheimknopf, und es hört sich an, als ob ein riesiger Schwarm wilder Enten mit elektronisch verstärkten chinesischen Glöckchen um den Hals mitten aus dem Publikum in die Luft aufsteigt. Herr Baumer lässt dazu die Raumstation Orion mit der USS Enterprise kollidieren. Der Applaus und die Hui-Rufe nehmen kein Ende.

»Danke, ihr wart wundervoll! Danke, danke, danke! Am Umhänge-Laptop: Herr Pellmann. Am E-Piano und diversen anderen Dingen, die ich weder kenne noch aussprechen kann: Herr Baumer. Und ich bin Herr Heisenkamp. Wartet bitte noch, bis die Kinder alle draußen sind, dann könnt ihr wieder rauchen. Machts gut! Bis bald! Wir lieben euch!«

Dass ich uns jeweils als ›Herr Soundso‹ vorstelle und nicht mit Vornamen, war meine Idee. Ich wollte mich wieder mal nur vor dem »Ludger« drücken, aber mittlerweile ist es ein Selbstläufer geworden. Die anderen Easy-Papa-Metal-Bands, die im Moment wie Pilze aus dem Boden schießen, machen es auch alle so.

Die A&R-Manager haben inzwischen spitzgekriegt, dass Tante Hilda unsere Managerin ist, und drängeln

sich um sie herum. Hubert hat Daniel auf die Schultern genommen und lacht jetzt endlich auch. Becker kommt auf die Bühne und schüttelt jedem von uns generös die Hand. Andi streitet sich mit seiner Modedesignerfreundin, weil er den brandheißen Jogginganzugtrend immer noch scheußlich findet. Klara will von Frau Baumers Bier trinken. Kindergarten-Claudia scheint Biker-Walter noch netter zu finden als die Fußballjungs. Aber die haben dafür jetzt Annette entdeckt. Und meine Simone steht daneben und sieht nun etwas erschöpft aus.

Kein Wunder. Bei dem Bauch.

Ich habe schon eine Liste angefangen: Zehn Gründe, warum es doch nicht so schlimm ist, ein zweites Kind zu bekommen. Grund eins hab ich schon: Weil man, im Gegensatz zum ersten Kind, meistens weiß, wann und wo es entstanden ist. Wir wissen zum Beispiel ganz sicher, dass das Mädchen in Simones Bauch im neunten Stock eines hässlichen Dortmunder Hotels gezeugt wurde. In einer Nacht, die unter dem dämlichen Motto Strictly Rock'n'Roll stand, und ausgerechnet in dieser Nacht wollte der Hormongott der anmaßenden Antibabypille endlich mal wieder zeigen, wer hier der Boss ist.

Grund zwei bis neun hab ich auch schon: Scarlett Johansson wird die Patentante.

Grund zehn wird sich noch finden.

Fragen an den Autor

Hat Ihr Buch autobiografische Züge?

Nö. Also, ich meine, ich hab natürlich verschiedene Kinderanekdoten aus unserem Freundeskreis aufgegriffen und verbraten, aber das wars dann auch schon mit dem Realitätsbezug. Die Geschichte selbst ist von vorne bis hinten erfunden. Echt. Selbst die Fußballergebnisse.

Hat Ihr Buch autobiografische Züge?

Nein! Also wenn ichs Ihnen doch sage. Ich hab nichts mit Markus Heisenkamp zu tun. Schaun Sie, im dritten Kapitel sagt er zum Beispiel von sich: »Nun bin ich wirklich nicht so der knochige Typ, und es gibt viele Stellen, an denen mein Körper einen kräftigen Bobby-Car-Rammstoß gut abpuffern könnte.« Na, und jetzt schauen Sie mich mal an. Alles klar?

Hat Ihr Buch autobiografische Züge?

Hnnngrz! Also, damit Sie Ruhe geben: Ja, ich hab mal in einer Internet-Agentur gearbeitet, die während der Dotcom-Krise den Bach runterging. Aber nicht als Grafiker. Außerdem besitze ich ein Wurlitzer E-Piano und finde, dass es eins der wunderbarsten Musikinstrumente ist, die je gebaut wurden.

Na also, geht doch. Letzte Frage: Möchten Sie sich bei irgendjemandem bedanken?

O ja. Ich möchte mich bei meiner Frau Nathalie bedanken, die sich immer wieder als kritische Probeleserin zur Verfügung gestellt hat. Außerdem danke ich meinem Lektor Carlos Westerkamp und meinem Agenten Dr. Uwe Heldt für ihr großes Engagement. Ferner bedanke ich mich beim Bobby-Car-Club Deutschland, durch dessen Website Herr Baumer auf die Idee gekommen ist, sein Bobby-Car mit Beton auszugießen (auch wenn er es dabei fürchterlich übertrieben hat). Des weiteren danke ich den Verfassern der Günter-Hetzer-Kolumne in *11 Freunde* für die großartige Redewendung »Oktan im Kanister«, und ich hoffe, dass sie auf diese Weise auch in fussballferne Bevölkerungsschichten durchsickert. Und nicht zu vergessen – danke auch an Il Santo, Taebs Bistro, Ellas Bistro, die Foccaceria und das Aiko für die exzellente Verköstigung während der Entstehung des Buches.

Und entschuldigen möchte ich mich bei einem mir namentlich nicht bekannten Bergstübl-Gast, den ich im Sommer 2005 aus Versehen mit dem Bobby-Car angefahren habe.

Ha, also doch noch mehr autobiografische Bezüge. Hab ich mir gleich gedacht.

Also, ich sag jetzt gar nichts mehr.

Mehr Comedy und Spaß auch im nächsten Roman von Matthias Sachau!

Matthias Sachau

KALTDUSCHER

Ein Männer-WG-Roman

Können Männer denken, wenn sie unter sich sind? Und wenn ja, wie lange? Fehlt ihnen außer Sex überhaupt irgendwas? Und was passiert, wenn nicht nur wahnsinnige Vermieter, russische Schläger und alte Stasi-Hausgenossen, sondern auch noch Frauen ihre Kreise stören? Oliver und seine Mitbewohner müssen schwere Prüfungen bestehen, doch am Ende des Tages findet sich immer noch ein Bier in der Küche.

Wer eine Männer-WG betritt, ohne vorher dieses Buch gelesen zu haben, ist selber schuld.

Lesen Sie auf den nächsten Seiten, wie der Roman beginnt.

Angriff

Meine Wände sehen ganz normal aus für einen, der in ein paar Tagen 24 wird und bis jetzt noch nicht wirklich was auf die Reihe gekriegt hat. Keine Poster, keine bunten Farben, dafür bin ich zu alt. Mit 24 hat man wieder weiße Wände, und als Verzierung pappt man sich höchstens hier und da willkürlich aus Zeitschriften rausgerissene Bilder dran. Bisschen Mode, bisschen Fotokunst und, ganz wichtig, ein paar Sachen, bei denen kein Mensch kapiert, was das eigentlich soll, zum Beispiel Guido Westerwelle, der gerade in ein Brötchen beißt, oder ein Orang-Utan, der wie Tom Cruise aussieht (ist aber bisher nur mir aufgefallen). Zwischen den Bildern hängen all die Notizzettel mit Adressen, Terminen und anderem wichtigem Zeug, das ich schleunigst in meinen Kalender eintragen sollte, wenn ich mir endlich einen angeschafft habe.

Wirklich alles ganz normal. Das Einzige, wofür ich dauernd den Vogel gezeigt bekomme, ist mein Abiturzeugnis. Es hängt direkt neben dem Kopfende meiner Matratze, und jeder fragt mich, was denn nun das bitte schön soll und ob ich nicht wenigstens die Durchschnittsnote 3,4 mit einem Aufkleber abdecken will.

Ich brauche das Zeugnis aber wegen meiner Alpträume. Die kommen alle paar Wochen. Keine Ahnung, warum. Immer das gleiche Grundmuster: Ich renne schwitzend durch leere Schulflure, weil ich, um in die elfte Klasse versetzt zu werden, eine Prüfung in irgendeinem Fach ablegen muss, von dem ich noch nie was gehört habe. Ich bin viel zu spät dran und weiß noch nicht mal die Raumnummer, geschweige denn, um was es bei Gewässersoziologie überhaupt gehen soll. Eine grauenhafte Lage. Selbst wenn ich am Ende schweißgebadet aufwache, brauche ich immer noch eine ganze Weile, bis ich weiß, dass die Welt eigentlich völlig in Ordnung ist: *Hey, Moment mal, es gibt gar keine Prüfung in Gewässersoziologie … und, hey, die Elfte hab ich doch schon geschafft … und die Zwölfte sogar auch … und … ach ja, ich hab sogar schon Abitur … und, hm, ich hab sogar schon ziemlich lang Abitur, hab schon eine Schlosserlehre angefangen und abgebrochen und ein Anthropologiestudium auch. Warum träume ich eigentlich noch von der Schule?*

Wenn nun mein Abiturzeugnis das Erste ist, was ich nach dem Aufwachen sehe, läuft dieser Prozess wenigstens etwas schneller ab.

Heute träume ich aber keinen Schulalptraum. Ich träume von Amelie. Ich tummle mich mit ihr in der Luxussuite des neuen Airbus A380, den sie gestern Abend in den *Tagesthemen* gezeigt haben. Lustigerweise ist alles mit Flokati-Teppichen ausgelegt, und auch die übrigen Details scheinen allesamt aus 70er-Jahre-Pornofilmkulissen zu stammen. Amelie ist in das große weiße Badetuch eingehüllt, in dem sie früher immer über unseren WG-Flur gehuscht ist, wenn sie geduscht hatte. Sie lächelt ihr wunderbares Lächeln und die Spitzen ihrer leicht feuchten hellbraunen Haare umschmeicheln ihre zarten Schultern. Sie sagt nichts. Aber irgendwie kann ich fühlen, dass gleich ... Oh, sie nimmt meinen Kopf in ihre noch von der Dusche ganz warmen Hände, und ihr Mund nähert sich meinem linken Ohr. Von der anderen Seite kommt Amelies beste Freundin Julia dazu. Das Tigerfell, das sie sich um die Brust geschlungen hat, verdeckt kaum das Nötigste, und ihre wilde blonde Lockenmähne wippt im Takt zum leisen Easy-Listening-Gedudel im Hintergrund. Sie widmet sich meinem anderen Ohr. Ich spüre ihre warmen Lippen. Es kitzelt, als ihre kleine Zunge in meinen Gehörgang eindringt, und ich schließe die Augen.

Und dann brüllen beide plötzlich »GROOOOOOOOOOOOOOOOH!!!«

Ich wache sofort auf, sehe mein Abiturzeugnis und hoffe kurz, dass es auch Amelie und Julia ihre normalen Stimmen wiedergeben kann, aber ich höre immer noch »GROOOOOOOOOOOOOOOOH!!!«, und während sich meine Augen langsam auf die Worte »Allgemeine Hochschulreife« scharf stellen, klafft plötzlich genau an dieser Stelle ein Loch im Papier auf, Staub- und Mauerwerksbrocken fliegen mir um die Ohren und irgendwas Großes, Spitzes, Vibrierendes nähert sich langsam, aber unaufhaltsam meiner Stirn.

Ich erkenne nicht gleich, was es ist. Dazu ist die

Perspektive zu ungewöhnlich. Klar ist aber, dass etwas, das mir nichts, dir nichts mein Abiturzeugnis zerstört, wild vor meinem Gesicht hin- und herzuckt und dabei »GROOOOOOOOOOOOOOOOOH!!!« macht, nichts Gutes bedeuten kann, und so kontere ich, noch bevor das Wort *Presslufthammer* in meinem Kopf Form angenommen hat, den Angriff mit einem Gegenlaut.

»HNNJAAAAAAAAAAAAAAAAAARGHHH!!!«

Das hat Folgen. Der zuckende Stahlmeißel verschwindet wieder in der Wand, und ich höre durch das Loch eine kernige Stimme mit osteuropäischem Akzent.

»Chef, da wohnt noch Leut!«

Drecksack

Unsere Küche sieht ebenfalls ganz normal aus für eine 5er-Männer-WG in einem schwer sanierungsbedürftigen Altbau in Berlin-Mitte. Keine Hängeschränke, keine Spülmaschine, dafür sind wir zu cool. Wir bewahren unser bisschen Geschirr in einem alten Werkstattregal auf, warmes Wasser kommt aus einem DDR-Boiler, der zuverlässig einmal pro Monat kaputtgeht, und in der Ecke steht ein großer Fernseher, den wir mit den Zehen bedienen, seit sich Tobi vor einem Jahr auf die Fernbedienung gesetzt hat. Am Kopfende unseres Küchentischs hängt eine penibel auf Stand gehaltene Bundesliga-Stecktabelle und darüber ein Poster von Rambo, der gerade mit seinem Maschinengewehr in den Dschungel ballert und dazu ein Gesicht macht, als wäre er drei Tage nicht mehr auf dem Klo gewesen.

Über Rambos Kopf hat Tobi den aus einem ZDF-Werbeplakat ausgeschnittenen Schriftzug »Melodien für Millionen« hingeklebt. Gonzo sagt immer, wir sollten es abhängen, weil sich der Gag inzwischen abgenutzt hat. Aber Gonzo findet auch, dass wir die Küchenwände mit einem Hauch von Azurblau abtönen, die Fußleisten als Komplementärkontrast Hummerrot streichen und beim Deckenstuck Petrol als Akzentfarbe nehmen sollten.

Tobis Exfreundin Amelie findet dagegen, dass hier erst mal eine Grundreinigung fällig wäre und dass Gonzo seinen Kinnbart abrasieren soll. Da hat sie im Prinzip auch recht, aber was die Grundreinigung betrifft, sollte man sich auch nicht unnötig Mühe machen. Wenn wir irgendwann sowieso die Küche neu streichen, müssen wir ja eh alles ausräumen, und dann kann man das mit der Grundreinigung im gleichen Aufwasch erledigen. Das muss man auch mal im Großen und Ganzen sehen.

Jedenfalls ist unsere Küche wirklich ganz normal. Wenn man von der Profi-Bierausschank-Anlage absieht, die Hendrik neben unserer Spüle installiert hat, nachdem unser illegaler Club im Keller letztes Jahr vom Bezirksamt geschlossen worden war.

»Alter Schwede, der Wohlgemuth.«

»Der meints jetzt wirklich ernst.«

»Kann man wohl sagen.«

Ach ja, mein Beinahe-Tod von gestern früh. Fast schon wieder vergessen. Wir haben uns eben schnell an das GROOOOOOOOOOOOOH!!! der Presslufthämmer gewöhnt.

»Hm, ja, der wills jetzt wissen, der Wohlgemuth.«

»So siehts aus. Kann ich das letzte Brötchen haben?«

»Von mir aus, Tobi.«

Herr Wohlgemuth ist unser Vermieter. Er hat vor zwei Jahren das Haus von den greisen Alteigentümern gekauft und sich in den Kopf gesetzt, damit reich zu werden. Das ist vom Ansatz her durchaus nachvollziehbar, weil charmanter Altbau mit zwar maroder, aber immerhin Stuckfassade in bester Lage in Berlin-Mitte, umzingelt von Werbeagenturen, Designläden, Galerien, Promi-Wohnungen und so weiter. Und unsere gesamte Fünfer-Männer-WG, einschließlich aller Exmitbewohner und Angehöriger, würde Herrn Wohlgemuth das Reichwerden ja auch von Herzen gönnen. Das Problem ist aber, er glaubt, dass er nur reich werden kann, wenn wir hier ausziehen. Und das Problem verschärft sich noch einmal dramatisch durch die Tatsache, dass Herr Wohlgemuth komplett wahnsinnig ist. Einfach geduldig darauf zu warten, dass wir irgendwann wegsterben oder uns, dank sozialen Aufstiegs, was Besseres suchen als eine Wohnung mit Außenwand-Gasheizungen, undichten Fenstern und versifftem DDR-Badezimmer, liegt ihm nicht. Es muss unbedingt der radikale Schnitt sein.

Noch bevor er den Kaufvertrag unterschrieben hatte, geisterte er schon hier durchs Treppenhaus und erzählte jedem Mieter, der es hören wollte, was für eine Bauhölle er hier bald rund um uns herum entfachen würde. Und nachdem die ersten Feiglinge aus dem Seitenflügel ausgezogen waren, ließ er in den leer gewordenen Wohnungen Taten folgen. Solange die Presslufthammerorgie nur im Seitenflügel wütete, war das noch gut auszuhalten, aber irgendwie schaffte er es, nach und nach, auch immer mehr Mieter aus dem Vorderhaus zu vergraulen.

Und letzte Woche ist blöderweise auch noch unser Stockwerksnachbar Heinz, ein überaus sympathischer Bildhauerfreak, ausgezogen, nachdem ihn Herr Wohlgemuth mit einer juristisch äußerst fragwürdigen 128-Prozent-Mieterhöhung erschreckt hat. Seitdem kann der kirgisische Schwarzarbeitertrupp direkt neben uns sein Unwesen treiben, und der Presslufthammerdurchbruch in mein Zimmer gestern war wohl, realistisch betrachtet, nur ein kleiner Vorgeschmack.

»Tja, ne, der Wohlgemuth.«

»Der gibts uns jetzt mit der ganz groben Kelle.«

»Da kennt der kein Pardon.«

»Könntest du mir noch mal die köstliche Himbeermarmelade reichen?«

Köstliche Himbeermarmelade. Tobi kann so zärtlich sein, wenn er vom Essen redet. Deliziöser Fruchtjoghurt, in höchstem Maße gaumenschmeichelnde Pommes frites, schmetterlingsflügelzarte Leberwurst. Und sobald er einen Leckerbissen in der Hand hält, sieht er ihn, genau wie Sesamstraßen-Krümelmonster, kurz mit halb verliebtem, halb irrem Blick an (nur dass sich seine Pupillen dabei nicht ganz so wild drehen), und dann schlingt er ihn mit einer Urgewalt herunter, die selbst dem grobmotorischen Blaupelz Respekt einflößen würde – auch wenn Tobi dabei nicht ganz so laut »Njaaamjamjamjamjam!« macht wie er.

»Tja, der Wohlgemuth, ne.«

»Der meints jetzt wirklich …«

»Und tschüss!«

»Gonzo, du Drecksack!«

Zu spät. Gonzo hat den täglichen Nach-dem-Frühstück-Wettlauf zu unserer Toilette gewonnen. Unserer einzigen Toilette. Ohne Tageslicht, ohne Lüftung. Ich gehe in mein Zimmer, packe meine Sporttasche und versuche, nicht an das zu denken, was Tobi und mich gleich erwartet. Ein Glück, dass wenigstens Francesco in der Arbeit und Hendrik vor drei Tagen ausgezogen ist, sonst wäre alles noch viel schlimmer.

Fusselbart

Bis zu Arnes Wohnung in der Eichendorffstraße ist es ein Katzensprung. Ich gehe zu Fuß und lasse mir die Sporttasche gegen die Beine schlackern.

Wie das WG-Leben ohne Hendrik auf Dauer sein wird, kann ich mir irgendwie noch nicht richtig vorstellen. Er war unser Handwerksgenie. Und nicht nur das, er war auch von einem Tatendrang beseelt wie ein Exleistungssportler, der nicht vernünftig abtrainiert hat. So ein Mann spielt in einem Haushalt, in dem dauernd was kaputt geht, natürlich eine Schlüsselrolle. Aber ich fürchte, der drohende

Reparaturstau ist noch nicht mal die schlimmste Folge von Hendriks Abgang Richtung Land-WG in Klein Ziethen. Viel bedenklicher ist der Dunst der Trägheit, der sich mit jedem Tag mehr zwischen uns ausbreitet, seit Hendrik nicht mehr rumhüpft und Hektik verbreitet. Unsere gesamten Hoffnungen ruhen jetzt auf Reto, unserem neuen Mitbewohner aus der Schweiz, der morgen einziehen wird – falls dann das Haus noch steht.

Ich biege in die Eichendorffstraße ein und stehe nach wenigen Metern vor Arnes Haus, einem öden 50er-Jahre-Wohnriegel, der, nur ein paar Straßenecken von der schicken Friedrichstraße entfernt, seine depressive Aura verbreitet. Auf dem Klingelschild steht immer noch kein Name. Ich hätte Arne wirklich nie und nimmer mit diesem Micha zusammenziehen lassen dürfen, denke ich mir einmal mehr, während ich an die Tür gelehnt geschlagene drei Minuten auf den Summer warte. Als es endlich so weit ist, falle ich mit meiner Sporttasche in den engen Eingangsflur, rapple mich wieder hoch und steige, wie jeden Freitag um diese Zeit, die drei Etagen hoch. Die Wohnungstür steht offen. Ich kämpfe mich durch einen Wust aus leeren Wasserflaschen und Pizzakartons zu Arne und Micha durch. Sie sitzen wie jeden Freitag – und wie jeden anderen Wochentag auch und, nicht zu vergessen, fast jede Nacht – vor ihren Bildschirmen und machen Dinge, die ich nicht verstehe.

Arne war früher in der Schule mein bester Freund. Bis er seinen ersten Computer bekam. Ab dann war der sein bester Freund. Und Leute wie dieser Micha.

»Mann, du hast wieder nicht gepackt, Arne.«
»Hm, was? Schon wieder Freitag?«

Er sieht nicht mal hoch. Ich gehe in sein Zimmer, krame seine Sportsachen zusammen und schmeiße sie in seinen Rucksack. Wir müssen schauen, dass wir loskommen. Arne sitzt immer noch neben Micha und tippt mit Lichtgeschwindigkeit auf seiner Tastatur herum.

»Komm jetzt!«

»Hm? Ja, gleich.«

Ich lege laut seufzend meinen Zeigefinger auf den Ausschalter der Steckerleiste, die alle Computer im Raum mit Strom versorgt.

»Zehn, neun, acht, sieben, sechs …«

Bei »zwei« steht Arne tonlos auf und geht mit mir mit. Er weiß, dass ich es getan hätte. Ich habe es einmal getan. Das hat gereicht. Micha bleibt einfach sitzen und tippt weiter, als wäre nichts geschehen.

* * *

Als wir beim kleinen Sportplatz im Monbijoupark ankommen, sind Fatmir, Göktan, Piotr und die anderen schon da. Wir treffen uns hier seit Jahr und Tag jeden Freitag und wissen nichts voneinander als unsere Namen und dass Piotr einen verdammt harten Schuss hat. Das ist immer so bei Parkmannschaften. Wozu reden, wenn man einen Fußball hat?

Um die Teams festzulegen, brauchen wir gerade mal drei Sekunden, und schon geht es los. Leider ist Arne in der anderen Mannschaft. Das ist hart. Arne kann nämlich nur zwei Dinge: Geheimdienstserver hacken und Fußball spielen. Aber die kann er beide richtig gut. Ich muss rennen wie ein Windhund und sauge die um diese Zeit noch angenehm laue Sommerluft bis in die hintersten Winkel meiner Lunge ein.

»Besser decken, tausendmal gesagt!«, schreit Fatmir. Er hat recht, dieser Querpass hätte niemals ankommen dürfen. Aber Fatmir schreit immer »Besser decken, tausendmal gesagt!«, auch wenn er gefoult wurde oder wenn er den Ball haben will. Irgendwie ist das der einzige deutsche Satz, den er kann.

Wir spielen immer anderthalb Stunden ohne Pause. Ein Glück, dass es diesen Termin gibt. Ohne Fußball würde es mit Arnes Gesundheit rapide bergab gehen. Ich hätte ihn wirklich niemals mit Micha zusammenziehen lassen dürfen.

Mein Handy summt in meiner Hosentasche. Mist, ich muss Arne im Auge behalten. Nur mal kurz gucken … Caio? Der weiß doch, dass wir um diese Zeit spielen. Muss wirklich was Wichtiges … ha, denkste, Arne. Ich kenn dich doch. Immer wenn du die Zunge aus dem linken Mundwinkel steckst, willst du mich tunneln. So, der Ball gehört mir. Wohin damit? Schönen langen Pass in den Lauf von Göktan – und Tor! Jawoll.

»So gäht!«

»Brrravo!«

»Besser decken, tausendmal gesagt!«

Caio war früher in der gleichen Klasse wie ich. Ihn sehe ich etwas öfter als Arne. Das liegt vor allem daran, dass wir geschäftlich miteinander zu tun haben. Ich bin nämlich Schauspieler. Gut, meine Karriere ist noch ziemlich am Anfang. Eigentlich gab es bis jetzt nur zwei Stationen: Fünf Jahre Schülertheatergruppe Immanuel-Kant-Gymnasium, und seitdem vermittelt mir Caio, der nach dem Abi einen kleinen Künstlerdienst aufgebaut hat, gelegentlich kleine Rollen in Werbespots und unbedeutenden Fernsehproduktionen, meist ohne Text. Er ist schon wirklich aufgeweckt, das muss man ihm lassen. Er findet sogar Engagements für Leute, die nicht mal »Alle meine Entchen« ohne Stottern vorsprechen könnten. Hauptsache der Typ passt.

Kawumm!

Nein, Piotr darf man wirklich nicht frei zum Schuss kommen lassen. Der Zaun hinter dem netzlosen Tor hat eine Beule gekriegt.

Am Anfang waren Caios Jobs für mich nur Spaß, aber seit ich neulich drei Sätze in dem Kinderfilm »Ich glaub, ich spinne, der Lehrer macht blau!« sprechen durfte, habe ich Blut geleckt. Ich will das jetzt auf ganz andere Füße stellen. In gut einer Woche mache ich die Aufnahmeprüfung an der *Hochschule für Schauspielkunst Ernst Busch*. Ab dann geht es steil bergauf. Während des Studiums werde ich mich vielleicht noch ein wenig mit Caio-Engagements über Wasser halten, aber irgendwann werde ich das nicht mehr nötig haben. Dann werden wir uns natürlich auch seltener sehen, aber das ist okay.

So. Spiel vorbei. Unentschieden. Ein Glück, dass wir uns immer so früh treffen. Inzwischen ist es so heiß, dass man das Gerenne jetzt auf keinen Fall mehr anderthalb Stunden durchhalten würde.

»Tschüss.«

»Bies näxte Mall.«

»Besser decken, tausendmal gesagt!«

Wir gehen los. Ein paar Meter weiter sitzen Amelie und Julia, wie jeden Freitag um die Zeit, auf ihrer Studier-Parkbank und lernen Tiermedizinkram. Besser mal nicht stören, denke ich mir, aber Amelie hat uns gesehen und winkt.

»Hallo! Na, kräftig gerannt?«

»Och, ja. Bisschen Sport halt.«

Sie lächelt und mein Magen macht komische Dinge. Ob Amelie überhaupt weiß, wie sie lächelt?

»Du, ich wollte dich schon die ganze Zeit was fragen.«

Sie sieht sich um, als ob sie Angst hat, ertappt zu werden. Ich weiß schon, was jetzt kommt.

»Glaubst du, Tobi will was von Miriam? Ich seh die jetzt immer zusammen.«

»Nein, glaub ich nicht. Die sammeln nur beide Manga-Comics.«

»Ach so, dann bin ich ja beruhigt.«

»Wieso? Miriam ist doch nett.«

»Die wär nichts für ihn.«

Während wir reden, guckt Julia wie ihre braungebrannten Füße im Gras herumspielen und nestelt an dem Lederband herum, das sie um den linken Knöchel trägt. Nur hin und wieder sieht sie hoch und mustert Arne und mich mit halb belustigten, halb verächtlichen Blicken. Das hat aber weder was mit unserer sportbedingten Verschwitztheit noch mit Arnes lächerlicher roter Shorts zu tun, sondern kommt einfach daher, dass wir Männer sind.

Man muss Julia verstehen. Ihre Mutter ist Professorin am Zentrum für Transdisziplinäre Geschlechterstudien an der Humboldt-Uni oder, mit anderen Worten, an der zentralen deutschen Feministinnen-Kaderschmiede. In dem Alter, in dem andere Mädchen *Hanni und Nanni* gelesen haben, verschlang Julia bereits alle Standardwerke über die Unterdrückung der Frau in der patriarchalischen Gesellschaft, und das ist harter Stoff. Wenn man sich da richtig reinfräst, kann man, egal ob Mann oder Frau, gar nicht anders, als in hilfloser Sauwut enden. Und dann ist die Frage, wohin damit? Wo ist der Feind, den ich packen kann? Das ist in anderen Fällen viel einfacher. Kommt einer mit Hakenkreuz daher, kann man sofort seine Fäuste in ihm versenken und dazu brüllen »Der hier ist für Auschwitz, der für den Zweiten Weltkrieg und der für euren unsäglichen Frisurengeschmack.« Damit macht man bestimmt nichts verkehrt. Aber was macht man, wenn man einem Mann begegnet? »Der hier ist für Zwangsheirat, der für Vergewaltigung, der für Ehrenmord und der für das systematische Fernhalten der Frauen von Bildung«? Muss man vorsichtig mit sein, denn nicht jeder Mann und so weiter.

Könnte ich mir mal eine wirklich anspruchsvolle Frauenrolle aussuchen, würde ich glatt die von Julia nehmen: Frau, die für ihre Rechte kämpfen will, aber ausgerechnet in einer der, global betrachtet, völlig exotischen Umgebungen lebt, in denen sie und ihresgleichen aufgrund glücklicher kulturgeschichtlicher Fügungen nicht mehr so doll unterdrückt werden. Ein emotionaler Teufelskreis vom Feinsten.

Eigentlich komisch, dass jemand wie Julia ausgerechnet Tiermedizin studiert – und sich dabei dann auch noch mit jemandem wie Amelie anfreundet und sich von ihr dauernd in eine Männer-WG schleppen lässt. Aber so ist es eben. Alles immer ein bisschen komplizierter, als man denkt, vor allem die Gefühle. Muss man immer im Großen und Ganzen betrachten.

»So, ich glaub, ich muss dann mal unter die Dusche, ne.«

»Sieht mir ganz so aus. Machts gut. Ich komm vielleicht nach dem Seminar noch bei euch vorbei.«

»Bis dann.«

Seufz. Amelie.